D1490691

Les contes du cœur et de la raison

Pour tous ceux et celles qui s'obstinent à conserver,
malgré tout, leur âme d'enfant !

Catalogage avant publication de la Bibliothèque nationale du Canada

Nadeau, Patrice, 1959-

Les contes du cœur et de la raison

ISBN 2-89225-513-9

I. Titre.

PS8577.A341C66 2003   C843'.6   C2002-941965-4
PS9577.A341C66 2003
PQ3919.2.N32C66 2003

©, Les éditions Un monde différent ltée, 2003
Pour l'édition en langue française

Dépôts légaux : 1er trimestre 2003
Bibliothèque nationale du Québec
Bibliothèque nationale du Canada
Bibliothèque nationale de France

Conception graphique de la couverture et esquisses du livre :
SÉBASTIEN GAGNON

Montage de la couverture, photocomposition et mise en pages :
OLIVIER LASSER

ISBN 2-89225-513-9

Nous reconnaissons l'aide financière du gouvernement du Canada par l'entremise du Programme d'Aide au Développement de l'Industrie de l'Édition pour nos activités d'édition (PADIÉ) ainsi que le gouvernement du Québec grâce au ministère de la Culture et des Communications (SODEC).

Imprimé au Canada

Patrice Nadeau

Les contes du cœur et de la raison

Pour tous ceux et celles qui s'obstinent à conserver,
malgré tout, leur âme d'enfant !

Les éditions Un monde différent ltée
3925, Grande-Allée
Saint-Hubert (Québec)
Canada J4T 2V8
Tél. : (450) 656-2660
Site Internet : *http://www.umd.ca*
Courriel : *info@umd.ca*

À ma fille Stéfanie

Table des matières

Table des matières

En guise de préambule

Il était une fois une belle île à la végétation luxuriante et d'une dimension, ma foi, assez grande, située dans l'une de ces heureuses régions du monde où le climat est toujours agréable, et qu'on appelait l'Île du Glacier. Ce nom original provient d'un caprice géologique qui a gratifié l'endroit d'une jolie montagne juste assez haute pour être toujours recouverte de neige. De loin, ou vue du continent voisin, on dirait bien un glacier égaré qui se serait trompé de latitude. La surprise d'accoster dans un décor si charmant en est d'autant plus grande. Est-ce cette étonnante combinaison de verdure et de douce fraîcheur qui explique le caractère si chaleureux de ses habitants? Quoi qu'il en soit, l'île du Glacier, comme nous le verrons dans les histoires qui vont suivre, est une contrée où il fait le plus souvent bon vivre.

Nous entrerons d'abord dans l'univers féerique de Maryse, une jeune fille à l'imagination débordante qui voudrait tant être utile, mais qui se demande bien comment faire et par où commencer? Nous ferons ensuite connaissance avec le sympathique géant Bourru. Malgré son naturel affable, notre géant est bien distrait et il égare ses choses un peu partout si bien qu'il s'emporte et cherche des coupables imaginaires à blâmer pour ses déboires. Comment pourrait-on le persuader de s'amender?

Nous croiserons par la suite le chemin de Jacques, l'explorateur, dont l'ambition est de toucher la ligne d'horizon. Où ses voyages le mèneront-ils? Tout irait si bien dans le petit monde de l'île du Glacier si l'infâme Silogue ne surgissait pas à l'improviste pour semer la confusion dans les esprits en y jetant des mots vides de sens. Parviendra-t-il à ses fins?

Puis nous rencontrerons l'inventeur Jeannot qui aimerait bien voler de ses propres ailes. S'il veut connaître le succès, on lui a dit qu'il doit chercher des clients à combler. Souhaitons-lui bonne chance! Dans l'histoire suivante, le bon roi Gustave se chagrine car il se sent oisif. Il décide alors de changer de métier. Mais est-ce la bonne solution? Enfin, Maryse occupe à nouveau le devant de la scène et se voit placée devant un choix difficile : partir ou rester? Quel dilemme!

Par surcroît, pour aider nos amis dans leurs entreprises et barrer la route au diabolique Silogue, nous découvrirons maître Kantique, un aimable philosophe, assisté de ses deux amis magiques, la souris Nini et le mouton Boris, qui interviendront çà et là dans l'un ou l'autre conte. Les animaux magiques sont très sages. Ils ne vous adressent jamais la parole en premier, mais sitôt que vous leur posez une question, ils se font un plaisir de vous répondre. Maître Kantique, quant à lui, est plus bavard mais on lui pardonne parce qu'il a un grand cœur. Voilà, nous sommes prêts à commencer ces quelques contes où il sera souvent question de cœur et de raison.

Maryse qui voudrait être utile

Sur l'île du Glacier, parmi ses remarquables habitants, vivait Maryse, une sympathique jeune fille à l'imagination débordante qui rêvait d'être utile et de participer au bien-être et au bonheur de tous ses concitoyens et amis. Bien sûr, elle ne savait pas trop de quelle façon se rendre utile, mais chose certaine elle avait de la bonne volonté et surtout beaucoup d'imagination.

Dans son esprit créatif, un geste utile correspondait à une aventure extraordinaire, où éclataient des feux d'artifices aux couleurs magnifiques, et qui devait se terminer par les hourras et les bravos d'une foule reconnaissante. Lorsqu'elle s'imaginait vivre une telle mise en scène, rien ne pouvait la contenir. Elle se mettait immédiatement en quête d'une occupation où elle pourrait démontrer son utilité.

Un jour, le bruit courut que le professeur Racine, le grand ingénieur de l'île du Glacier, était à la recherche d'un assistant pour l'aider à perfectionner ses machines. On savait que les savants du continent voisin avaient mis au point des machines pensantes que le professeur voulait employer pour que ses propres inventions puissent fonctionner sans surveillance. Lorsque la gentille Maryse eut vent de la nouvelle, elle fut littéralement emportée par les visions magnifiques qui se formèrent dans son imagination débordante. Elle se voyait à la tête d'une armée de sympathiques machines pensantes qui veilleraient au bon fonctionnement des ingénieux mécanismes de l'illustre professeur.

Sous sa supervision, les pannes étaient abolies et les machines ne connaissaient plus de défaillances. Toute l'île acclamait Maryse lorsqu'elle faisait son apparition sur la place du marché où l'abondance des biens et des denrées de toutes sortes démontrait à quel point elle s'acquittait bien de sa tâche. Transportée par les images irrésistibles qui se dessinaient dans sa jolie petite tête toujours en ébullition, elle se précipita chez le professeur et offrit ses services.

Le professeur reçut Maryse avec bienveillance mais il entretenait quelques doutes quant à ses aptitudes à bien remplir cette tâche monotone et compliquée. Néanmoins, la jouvencelle sut se montrer si persuasive, si convaincante et elle était animée d'une telle bonne volonté que le professeur accepta de la mettre à l'essai.

Cependant, les choses ne se passèrent pas exactement comme Maryse l'avait imaginé! Les machines pensantes étaient de grandes boîtes rectangulaires d'où s'échappaient des quantités phénoménales de fils minuscules qu'il fallait apprendre à relier entre eux. Bien sûr, elle pouvait recourir à quelques manuels d'instructions mais ils étaient écrits dans un langage incompréhensible et ils étaient si volumineux que la frêle demoiselle était incapable de les soulever, ce qui était évidemment peu commode lorsqu'elle voulait les consulter. Les heures, puis les jours s'écoulèrent.

Puis un jour, le professeur Racine, curieux de savoir comment sa nouvelle assistante se débrouillait, vint visiter Maryse dans son laboratoire. Quel spectacle! La malheureuse devait affronter une véritable rébellion des machines pensantes qui ne toléraient plus d'être maltraitées de la sorte! Tous les fils étaient entortillés, les manettes étaient placées dans des positions erronées et les voyants rouges clignotaient sans arrêt pour signaler de multiples pannes et défaillances. Le professeur intervint et dégagea d'abord Maryse de l'emprise des machines. Il l'invita à venir prendre un chocolat chaud dans son bureau.

«Ma chère Maryse», dit le bienveillant professeur, «je me doutais bien que ces machines étaient un peu trop rebelles pour se laisser mener aussi docilement par une douce personne comme toi. Les gens du continent m'avaient pourtant avisé que les machines pensantes étaient parfois bien capricieuses.

– Mais, professeur!» répondit la jeune fille déçue de n'avoir pas su démontrer son utilité, «je suis persuadée qu'avec les années, les machines et moi deviendrons de grandes amies et que nous ferons de merveilleuses réalisations main dans la main, ou plutôt main dans la manette, devrais-je dire!»

Le bon professeur comprenait bien maintenant son erreur. Maryse n'avait aucune idée de ce qu'était la vie d'un opérateur de machines pensantes.

«Je sais que tu désires te rendre utile mais je pense que tu ne seras pas heureuse à faire un travail qui exige autant de patience et de minutie», lui dit alors le professeur avec délicatesse pour ne pas la blesser. «Le langage des machines pensantes est celui de l'exactitude et de la précision. La vie d'un opérateur de machines pensantes consiste à relier inlassablement les innombrables fils qui s'échappent de ces grandes boîtes, à toujours placer toutes les manettes dans les positions correctes et à appuyer sur les bons boutons sans jamais commettre aucune erreur! C'est un métier passionnant et utile, mais il s'agit aussi d'un véritable travail de bénédictin.

– Je n'envisageais pas les choses de cette manière», convint la jeune fille. «Je voulais être utile et je croyais qu'en faisant fonctionner les machines pensantes, l'île du Glacier tout entière m'en serait reconnaissante.

– Ton désir de te rendre utile est très louable», répondit le sage professeur. «Toutefois, ce travail ne convient pas à ta personnalité et tu sais maintenant pourquoi. Cette expérience t'a permis de mieux te connaître, ce qui est le plus important. En ce qui concerne le laboratoire, oublie vite ces mauvais souvenirs. Justement, un de mes jeunes apprentis, Jeannot Rigoureux, brûle du désir de mater ces machines revêches. Son expérience et sa personnalité me semblent mieux convenir pour cette tâche. Il te remplacera dès cet après-midi.»

Maryse savait bien que le professeur avait raison mais elle n'en était pas moins mortifiée d'avoir failli à la tâche. En outre, son désir de servir n'avait aucunement été altéré par cette mésaventure et son imagination était toujours aussi débordante. Maryse se mit donc en quête d'une nouvelle occupation. En s'approchant de la place du marché, elle vit une grande affiche devant laquelle plusieurs personnes étaient rassemblées et où l'on pouvait lire :

~

« Avis aux habitants de l'île du Glacier !
Maître Routinier, le grand administrateur du royaume,
cherche un assistant.
Qualification requise : Désir d'être utile ! »

~

« Voilà, j'ai trouvé ! » s'exclama Maryse au comble du bonheur. « Cette fonction est faite pour moi et je serai enfin en mesure de prouver mon utilité ! »

Tout en courant pour se rendre chez maître Routinier, elle évoquait sa vie future dans l'administration du royaume.

« L'administration du royaume », se dit-elle. *« Cela sonne tellement important, tellement grandiose. Quel travail passionnant cela doit être ! »*

Elle occuperait ses journées à prendre des décisions sérieuses dont bénéficieraient tous les habitants de l'île du Glacier. Maître Kantique, le sage philosophe et premier conseiller du roi en personne, viendrait lui demander son avis. À chaque jour, *l'administration du royaume* apporterait son lot de passionnantes aventures, de rencontres étonnantes, et surtout, de la reconnaissance à profusion pour son inestimable contribution. On dirait dans les rues en la voyant :

«Voilà Maryse qui participe à *l'administration du royaume!* Que nous sommes heureux et satisfaits d'être bien nourris, confortablement logés et de vivre en paix grâce à toi!»

Emportée par son enthousiasme, elle décrocha le poste d'assistante devant tous les autres candidats car elle était de loin la plus qualifiée. En effet, nul ne pouvait rivaliser avec Maryse au chapitre du désir d'être utile! Maître Routinier conduisit Maryse à l'endroit où les suggestions, les requêtes et les doléances des insulaires étaient décachetées, lues, classées et traitées par ordre de priorité. Il y en avait des montagnes dans cette immense salle sans fenêtre!

«Ma chère Maryse», expliqua maître Routinier, «voici une des tâches les plus utiles dans la saine administration d'un royaume. Tous les jours, nos bons sujets nous transmettent quantité de suggestions, plusieurs requêtes et quelques doléances. Il est extrêmement important que cette information soit transmise sans erreur et rapidement aux différents services du royaume. De plus, chaque lettre mérite une réponse appropriée. Le bonheur et la paix de l'île du Glacier reposent sur toi, ma fille ! »

Encore une fois, la tâche ne ressemblait pas du tout à ce que Maryse avait imaginé. Néanmoins, désireuse de démontrer sa bonne volonté, elle se mit immédiatement au travail. Il lui semblait que les piles grossissaient sans cesse car, chaque fois qu'elle décachetait, lisait et classait une lettre, le messager en apportait un nouveau sac plein ! Elle était submergée de travail et elle avait l'impression de ne jamais pouvoir prendre le dessus.

Pourtant, elle était persuadée de bien faire son travail. Elle lisait longuement chaque lettre, corrigeait les fautes et répondait à chacune dans son meilleur style. Elle s'y appliquait avec ardeur et promettait à tous les correspondants que le roi s'occuperait personnellement de leur affaire. Ensuite, elle classait les lettres et allait les porter elle-même aux responsables des services concernés, disséminés un peu partout dans l'île du Glacier.

Bientôt, des plaintes sonores et vigoureuses retentirent dans tout le royaume. La grogne montait et le roi Gustave, soucieux, convoqua maître Routinier.

« Il semble qu'il y ait des ratés dans l'administration du royaume depuis quelque temps », dit le roi. « J'entends de plus en plus de sujets se plaindre et réclamer ma présence pour régler les plus menues affaires. Maître Routinier, avez-vous apporté des changements à vos processus administratifs récemment ?

– Laissez-moi y réfléchir quelques instants », répondit le grand administrateur, « je pense que j'ai une idée de la source de nos difficultés. »

Lorsque maître Routinier pénétra dans la salle du courrier, le spectacle qu'il vit le glaça d'effroi. De nouvelles montagnes de lettres s'étaient accumulées et il dut demander de l'aide pour retrouver la pauvre Maryse enfouie sous un amoncellement de plaintes. À son tour, maître Routinier dut bien reconnaître que la belle histoire que Maryse lui avait racontée avait quelque peu brouillé son jugement. Une scène semblable à celle qui s'était produite dans le bureau du professeur Racine se répétait. Madame Clavier, une personne efficace et expéditive, fut désignée sur-le-champ pour remplacer Maryse, qui dut quitter son poste par une porte secrète pour échapper à la foule en colère !

La pauvre regagna sa chambre et pleura à chaudes larmes. Comme elle était malheureuse !

«Je voulais simplement rendre service à notre bon roi», dit-elle entre deux sanglots, «et je n'ai fait que le mettre dans l'embarras. Toute l'île du Glacier est sens dessus dessous par ma faute. Je ne serai jamais utile à personne! Je ne suis bonne qu'à causer des ennuis à tout le monde!»

En essuyant ses yeux mouillés de pleurs, Maryse aperçut tout à coup une petite souris qui se tenait immobile sur le rebord d'une commode et qui la regardait.

«Ah! bonjour, petite souris!» dit Maryse, «serais-tu un de ces animaux magiques dotés du don de la parole qui, selon la légende, vivent parmi nous sur notre bonne île du Glacier? Mais qu'est-ce que ta magie peut bien faire pour moi? Je me sens tellement inutile!

— Puisque tu m'adresses la parole la première», répondit la souris, «je puis donc te répondre. En effet, je suis un de ces animaux. Et tu as raison, ma magie ne peut rien pour toi. Je ne suis ici que pour te consoler. Toutefois, dis-toi que tu as appris beaucoup de choses depuis peu. Garde confiance et surtout, ne renonce en aucun temps ni à ton désir d'être utile ni à te servir de ton imagination!»

Ces paroles réconfortantes aidèrent Maryse à sécher ses larmes, mais elle ne se sentait pas utile pour autant. Pourtant, certains événements se préparaient et allaient bientôt lui permettre de montrer ce qu'elle savait faire, même si elle l'ignorait encore!

Au château du roi Gustave régnait une grande fébrilité. Une délégation de dignitaires du continent était attendue sous peu. Alors que les préparatifs allaient bon train, un drame éclata. La tradition d'hospitalité de la grande île du Glacier voulait que l'on divertisse les invités, à l'occasion d'un grand festin, par la narration d'une des pages les plus remarquables de son histoire. Or, le raconteur officiel du royaume, l'éloquent historien Périmé, était tombé malade et s'était décommandé. Le roi réunit ses conseillers pour discuter de la situation. Le philosophe Kantique prenait place à sa droite.

«Nous sommes en proie à une grande difficulté», dit le roi. «Le protocole d'hospitalité de la grande île du Glacier est formel. Lorsque des dignitaires de hauts rangs du continent viennent nous rendre visite, nous devons offrir un banquet somptueux et demander à l'historien officiel de raconter une épopée grandiose de nos ancêtres. Or, manifestement, ce malheureux Périmé ne pourra pas remplir cette fonction.

— Nous ne pouvons manquer à la tradition, c'est évident», intervint alors Kantique. Mais laissez-moi la chose entre les mains, mon bon sire. Les invités n'arrivent que demain. D'ici là, j'aurai trouvé un remplaçant.

— Nous vous souhaitons la meilleure des chances», répondit le roi néanmoins inquiet. «Toute notre réputation d'hospitalité est entre vos mains.»

Et le philosophe d'arpenter l'île à la recherche d'un digne remplaçant pour le vénérable historien invalide pour le moment. Cependant, il dut bientôt reconnaître que la chose ne serait pas facile. Passant de maison en maison, il demandait aux jeunes gens, de même qu'aux plus âgés, de raconter une histoire. Mais ça n'allait pas du tout! La voix était fade, la narration trop monotone, il manquait toujours cette étincelle de vivacité et d'imagination qui fait les bons récits. Le soir tombé, Kantique commençait à être désespéré. Il croyait bien devoir rapporter son échec au roi Gustave quand son regard s'arrêta sur la petite souris Nini qui marchait avec lui depuis un bon bout de temps maintenant.

«Salut à toi, souris Nini», dit Kantique car il l'avait reconnue. «Tu connais bien ma difficulté. Alors n'aurais-tu pas une suggestion à me faire car je commence à désespérer?

– Bonsoir, Kantique!» répondit le magique petit animal. «Il était temps que tu m'adresses la parole! Dis-moi, n'as-tu pas négligé de frapper à la porte de cette modeste demeure au bout du chemin? Peut-être la chance te sourira-t-elle à cet endroit, qui sait?»

Et la petite souris s'enfuit dans la nuit. Le philosophe, à court d'idées, frappa à la porte que Nini avait suggérée. Maryse, qui avait maintenant séché ses larmes, lui ouvrit. Elle était bien étonnée de voir un personnage si important frapper chez elle à cette heure de la nuit. Le roi l'avait-il envoyé pour la gronder d'avoir mis tant de désordre dans son administration? Le philosophe Kantique la rassura et l'entretint de l'objet de sa visite. Il proposa à Maryse de faire un essai. Kantique fut enthousiasmé! La visite des dignitaires était sauvée. On avait enfin trouvé quelqu'un capable de bien raconter une histoire. Mais il fallait toutefois faire vite si on voulait être prêts avant l'arrivée des visiteurs.

Le lendemain soir, au moment convenu pendant le festin, tous se turent et le silence régna dans la vaste salle de réception où se déroulait le majestueux banquet en l'honneur des invités du continent. Le temps était venu de raconter une page mémorable de l'histoire de l'Île du Glacier. On avait choisi pour l'occasion une période fondamentale de ses toutes premières origines. C'était quand les premiers arrivants s'étaient liés d'amitié avec un peuple qui habitait déjà leur île, et ensemble, dans une solidarité remarquable, avaient érigé un grand barrage pour endiguer la crue menaçante des eaux.

Maryse s'exécuta. Ce fut, aux dires de tous les témoins qui assistèrent à la scène, une performance inoubliable. Déployant toute son imagination et sa vivacité d'esprit, elle revivait la scène comme si elle en avait été le témoin, mieux encore, comme si elle avait elle-même participé à ces extraordinaires événements ! Les dignitaires de l'Île du Glacier, le roi Gustave et Kantique en tête, en tirèrent un orgueil bien justifié. Les visiteurs du continent, quant à eux, étaient éblouis. Ils étaient bien heureux d'être amis avec des gens si courageux et qui savaient si joliment

transmettre leur histoire. Et Maryse était enfin une jeune fille heureuse, elle se sentait utile et appréciée!

Lorsque les invités eurent regagné leurs chambres, le roi eut un court entretien avec le philosophe Kantique au sujet des événements de la soirée, dont la narration de Maryse en avait été sûrement le plus notoire.

«En passant», mentionna Gustave pendant la conversation, «n'est-ce pas cette même Maryse qui a tant perturbé la bonne marche de notre royaume depuis quelque temps? Ce matin encore, j'ai reçu la visite d'un de nos braves insulaires qui voulait que j'aille l'aider à retrouver son chat perdu. Il semble que notre gouvernement se soit engagé officiellement à ce que j'accomplisse moi-même cette tâche! Je me suis exécuté puisqu'il en allait de la confiance en notre administration, mais est-ce vraiment le rôle du roi?

– Il faut pardonner à cette brave fille de vous avoir mis dans l'embarras», répondit l'aimable penseur. Elle employait son imagination pour faire croire à tous, et aussi bien à elle-même, qu'elle pouvait être utile. Ce soir, elle a découvert que c'est cette imagination même qui est notre plus belle richesse!

– Oui, vous avez raison, mon cher Kantique!» répondit le roi. Nous venons de vivre un grand moment dans l'histoire de l'Île du Glacier!»

Les colères du géant Bourru

De tous les étonnants personnages de l'île du Glacier, il y en avait un qui se distinguait particulièrement, d'abord évidemment en raison de sa taille. Il s'agissait d'un colosse original connu sous le nom de géant Bourru. Dans la vie de tous les jours, l'immense personnage portait généralement très mal ce nom malheureux dont il était affublé. Son caractère agréable et sa serviabilité en faisaient un des habitants les plus appréciés de ses concitoyens.

Combien de services inestimables n'avait-il pas rendus grâce à sa force herculéenne et à ses dons artistiques? Il avait amplement contribué à la construction des principaux bâtiments publics comme l'école, la bibliothèque et l'édifice dans lequel on retrouvait la grande salle du Conseil. Ce dernier demeurait inoccupé la plupart du temps car, quand l'abondance et le bonheur règnent, la tâche de gouverner en est d'autant facilitée.

En fait, les membres du Grand Conseil de l'île du Glacier ne se réunissaient en effet que rarement dans le majestueux bâtiment et pour ne traiter que des affaires les plus graves. Toutefois, il s'agissait d'une importante réussite architecturale et le bel immeuble, en majeure partie l'œuvre du géant Bourru, faisait la fierté des insulaires.

Le géant Bourru habitait dans un château construit par lui à l'autre bout de l'île et à sa propre mesure, c'est-à-dire monumental. Malgré son bon naturel et son caractère jovial, le Bourru, comme on l'appelait familièrement, ne comptait qu'un seul défaut, mais tout comme lui, il était de taille. Lorsque le géant égarait un objet, il se mettait alors dans une colère terrible. L'île tremblait sous les pas du colossal personnage qui courait alors en tous sens à la recherche de la chose perdue. La voix du géant, tel un coup de tonnerre, se faisait entendre d'un bout à l'autre de l'île du Glacier et tous les habitants se précipitaient dans leur maison pour s'y réfugier. La vie demeurait suspendue jusqu'à ce que la cause de toute cette commotion soit enfin retrouvée.

« Qui s'est emparé de ma montre ? » pouvait-on l'entendre hurler.

Ou encore :

« Qui a déplacé ma jarre à biscuits ? Je l'avais laissée sur cette commode et elle n'y est plus ! Gare au misérable qui m'a joué ce vilain tour ! »

Malheur en effet à celui ou celle qui croisait le chemin du géant quand il était à la recherche d'un objet égaré. Cette malheureuse personne était arbitrairement désignée comme coupable de l'innommable forfait sans autre forme de procès. Lorsque le drame éclatait, il valait mieux ne pas se trouver à la portée du regard du Bourru. Il ne levait bien sûr jamais l'une de ses immenses mains sur qui que ce soit car, bien qu'impatient, il n'aurait jamais fait de mal à une mouche tant il était doux et pacifique. Mais le malheureux passant se voyait alors abreuvé d'une litanie de reproches et de remontrances qui pouvaient s'éterniser des heures durant. Il était bien rare que cet infortuné badaud puisse s'en tirer sans participer aux recherches. La crise se terminait lorsque le géant récupérait enfin l'objet convoité.

« Ah ! je savais que j'avais raison ! » clamait alors le géant victorieux. Je retrouve ma jarre à biscuits sur la petite table du salon alors que je sais, moi, que ce n'est pas là que je l'y avais rangée ! La vie serait plus facile si on ne s'évertuait pas à me mettre constamment hors de moi. »

La colère du géant s'évanouissait aussi rapidement qu'elle était apparue. L'affable mastodonte retrouvait alors son amabilité coutumière.

Il va de soi cependant que les colères du géant commençaient à indisposer royalement les paisibles habitants de l'île du Glacier. Bien sûr, personne ne se serait aventuré à exprimer la moindre désapprobation au gigantesque personnage de peur de blesser sa grande sensibilité, car, malgré sa corpulence, tout le monde connaissait l'immense délicatesse de son âme.

Bien entendu, les habitants de l'île du Glacier considéraient qu'il était inadmissible d'humilier, voire d'insulter publiquement un concitoyen, surtout quand il était aimé et estimé comme ce bon Bourru. Pourtant, suivant la même logique, le comportement du géant s'avérait lui-même fort inacceptable. Pour le plus grand bien de tout le monde, il fallait absolument trouver quelque chose pour remédier à ce problème!

Pendant qu'on réfléchissait à un moyen d'amener ce distrait impénitent au bon sens et à la raison, un autre coup de tonnerre retentit.

«Mon marteau!» entendit-on hurler subitement. «J'avais remisé mon marteau sur cet établi et il n'y est plus. Quel est le forban qui veut me mettre hors de moi?»

Le géant sortit précipitamment de son château à la recherche de son précieux outil et d'un coupable à haranguer. Pendant plusieurs heures, toute l'île retint son souffle. Cela aurait pu durer encore long-temps si le Bourru n'avait pas rencontré en chemin le mouton Boris, un de ces animaux magiques gratifiés du don de la parole qui habitent l'île du Glacier. Comme nous l'avons mentionné précé-demment, ces animaux magiques sont très sages. Ils ne vous adressent jamais la parole en premier. Mais, ils répondent aimablement à toutes les questions qu'on veut bien leur poser. Le géant, ayant d'abord croisé le mouton sur sa route dans ses recherches pour recouvrer son marteau, était convaincu d'avoir trouvé le fautif.

«Mouton Boris!» dit le géant en proie à une vive agitation. «Je cherche mon marteau. Ne l'aurais-tu pas pris sur mon établi pour en faire usage? Il faut qu'il en soit ainsi car je ne le trouve plus. Réponds-moi, Boris, avant que je ne m'impatiente!

– Cher Bourru », lui répondit le mouton imperturbable, « quel usage pourrais-je bien faire d'un tel objet ? Je n'ai même pas de mains pour m'en servir. Mais je pense que si tu jetais un coup d'œil au pied du chêne là-bas, tu pourrais trouver ce que tu cherches. N'as-tu pas construit une jolie maison pour le couple de grives qui est venu s'y établir il y quelque temps et qui souffrait d'un courant d'air un peu frais qui dévalait de notre glacier ? »

Le géant incrédule jeta tout de même un coup d'œil à l'endroit indiqué.

« Le voilà ! » s'exclama-t-il. « Mouton Boris, tu laisses planer un doute dans mon esprit ! Pourtant, il me semblait bien que... », continua le Bourru sur un ton dubitatif.

Malheureusement, l'incorrigible oublieux quitta rapidement la voie prometteuse dans laquelle il semblait vouloir s'engager pour retomber tout de suite dans l'ornière de ses vieilles et mauvaises habitudes.

« Ah non ! Je rejette ce doute ! » s'exclama le géant avec conviction. « Je me souviens très bien maintenant d'avoir rangé tous mes outils après avoir complété ce travail. Il faut qu'il y ait un coupable et je le démasquerai un jour ou l'autre. Ce triste malandrin ne perd rien pour attendre ! »

La rancune du géant envers ce voleur imaginaire ne durait jamais plus que quelques secondes. Ce qui lui importait bien davantage cependant – en plus de la certitude de l'existence d'un coupable autre que lui-même à accuser – c'était de récupérer son bien. Lorsque cela était chose faite, l'incident était aussitôt effacé de sa mémoire, mais pas de ceux ou celles qui avaient fait les frais de la mésaventure !

À vrai dire, l'épisode du marteau était de l'ordre de la proverbiale goutte d'eau qui avait fait déborder le vase ; aussi, avant qu'une autre colère fasse un jour sortir la mer de son lit et inonde l'île du Glacier tout entière, il fallait réagir. Cela suffisait ! Une solution devait être trouvée. La situation était suffisamment sérieuse pour justifier la convocation d'un Grand Conseil afin de discuter du problème et de prendre une décision. Donc, pour ne pas éveiller les soupçons du Bourru, une session secrète fut convoquée une journée où le vaillant géant s'était engagé à réparer quelque construction située dans un autre secteur de l'île.

Lorsque tous les distingués membres du Conseil furent présents, le bon roi Gustave prit la parole.

« Les colères du géant Bourru perturbent notre vie », déclara le roi en guise de compte rendu des événements. « Nous devons porter remède à cette situation. Ne pourrait-on pas tout simplement le traduire à comparaître devant cette assemblée et l'enjoindre de s'amender ? J'attends vos avis et vos conseils. »

À sa droite siégeait l'avisé philosophe Kantique, un des personnages les plus influents de ce Conseil. Il savait distinguer les problèmes du cœur de ceux de la raison. Il pouvait dénouer avec brio les errements de la raison grâce à son bon sens et parvenait toujours à le faire entendre par son éloquence. Quant aux maux du cœur, il était persuadé que le remède échappait à la logique. Il se contentait alors d'aider la personne ainsi affligée à trouver dans son propre cœur une réponse franche et sincère.

Le bon philosophe Kantique prit la parole à son tour.

«Je doute qu'on puisse forcer le géant Bourru à changer», commença Kantique. D'ailleurs, même si nous adoptions un décret en ce sens, comment serions-nous en mesure de le faire respecter? Qui peut prétendre contraindre notre géant, malgré tout le respect que nous devons au sergent Matamore, qui fait régner la paix chez nous.»

Le sergent Matamore, profondément endormi, poussa un grognement approbateur en entendant prononcer son nom. Il faut dire que les interventions de son service d'ordre, dont il était le seul membre, étaient aussi rares que les séances du Conseil. La tendance à l'assoupissement pouvait être considérée comme un trait de sa personnalité tout à fait conciliable avec l'exercice de sa fonction. On ne lui tint donc pas rigueur de sa distraction.

«Le géant Bourru doit comprendre l'incongruité de ses colères», reprit le philosophe. «Il faut l'amener à réaliser le caractère absurde et dommageable de ses emportements, aussi bien pour les autres que pour lui-même. Il s'amendera alors de sa propre initiative sans que nous n'ayons à intervenir directement.»

Le roi Gustave acquiesça du regard et reprit alors la parole.

«Maître Kantique a bien parlé comme toujours» dit le roi. «Nous connaissons maintenant le principe sur lequel nous allons fonder notre intervention. Il s'agit maintenant d'imaginer et de mettre en œuvre un stratagème qui soit conséquent avec cette judicieuse prémisse. Distingués membres du Conseil, j'attends vos avis!»

Les membres du Conseil se regardèrent un peu décontenancés. Il avait beau jeu, le philosophe Kantique! Penser clairement et parler avec éloquence, c'est une bien jolie chose, mais trouver des solutions pratiques et les faire appliquer, c'est une autre affaire! Quelques suggestions furent cependant lancées.

«Ne pourrait-on pas construire un immense miroir mobile qui suivrait le géant Bourru dans tous ses déplacements?» suggéra le pâtissier Moulu, un autre éminent membre du Conseil de l'île du Glacier. «En assistant au spectacle de ses propres colères, peut-être réaliserait-il qu'il est lui-même l'artisan de sa propre infortune? Il serait ainsi le témoin oculaire de toutes les conséquences désagréables de ses fureurs injustifiées.

– Cette solution originale et imaginative est en accord avec notre principe», rétorqua Kantique, «mais elle me semble difficile à mettre en pratique. D'abord, il faudrait demander au Bourru lui-même de construire ce miroir. Il serait difficile de lui en cacher l'objet. Ensuite, un miroir est muet et ne fait que réfléchir des images. Ce n'est pas suffisant pour que le géant réalise ce que nous voyons, nous, dans son comportement. Cela pourrait prendre des années avant que cela ne se produise et même ne jamais survenir! Enfin, notre géant artiste pourrait éprouver tant de plaisir à se mirer dans la glace qu'il en cesserait de travailler ce qui serait un plus grand malheur encore! Les images seules ne peuvent se substituer à l'intelligence, au jugement et à la bonne volonté. Il faut trouver autre chose.»

Toute l'assemblée, incluant l'auteur de la proposition, se rangea du côté de l'avis du philosophe. Les autres suggestions qui furent proposées comportaient certaines difficultés. Ou bien elles étaient irréalisables ou bien elles étaient en désaccord avec le principe énoncé par Kantique.

Le roi Gustave eut alors une intuition qu'il s'empressa de soumettre à son Conseil.

«Le mouton Boris s'est entretenu ce matin avec le géant Bourru», avança le roi, «et il semble être parvenu à tuer dans l'œuf une de ses colères. Je crois que l'auteur d'un tel exploit a sûrement une bonne recommandation à nous faire.

– Je pense que nous pouvons en effet faire quelque chose», répondit le mouton Boris. «Pourquoi ne pas demander à la minuscule souris Nini de tenir compagnie au géant pendant quelque temps. Elle pourrait noter discrètement quelques-unes de ses distractions sans les relever immédiatement toutefois. Au moment où le Bourru se mettra en colère, ce qui est inévitable, Nini interviendra prestement pour lui rafraîchir la mémoire. La crise sera étouffée dès sa naissance et le géant en sera quitte pour s'excuser auprès de la minuscule souris. Je pense qu'il suffirait de quelques répétitions de cette mise en scène pour que le géant – qui est aussi intelligent qu'il peut être étourdi – comprenne le mécanisme du déclenchement de ses emportements. Il en réalisera alors l'absurdité et son amour-propre fera le reste du travail.

– Bravo!» s'exclamèrent en chœur les membres du Conseil.

La brave souris Nini accepta donc de prêter son concours à l'astucieux stratagème conçu par le mouton Boris. Elle se mit immédiatement au travail. Elle alla rejoindre le Bourru qui achevait de réparer le grand barrage. Évidemment, ce dernier, en rangeant ses outils, avait omis de reprendre son sac de clous géants. La souris nota mentalement ce fait capital car elle avait une excellente mémoire :

~

«Troisième jour de la période des floraisons. L'ombre du cadran solaire pointe sur la quatrième ligne à la droite du trait gras indiquant le milieu de la journée. Après avoir terminé ses travaux au grand barrage, le géant Bourru oublie son sac de clous.»

~

Naturellement, elle n'en souffla pas mot au géant. L'important était d'attendre une colère pour prendre le colosse fautif en flagrant délit de s'emporter inutilement et de porter de fausses accusations. Le Bourru, en apercevant Nini, la reçut de son plus large sourire. Il s'empara délicatement de la petite souris et la plaça sur son épaule. Le curieux duo fut aperçu de plus en plus fréquemment dans les jours qui suivirent.

Par ailleurs, le géant était toujours heureux des visites maintenant quotidiennes du minuscule animal car cela lui faisait de la compagnie. Il ne manquait jamais l'occasion de lui donner un beau morceau de fromage pour la saluer lorsqu'il la voyait arriver. Quant à la souris, elle était bien heureuse d'accompagner le géant dans ses déplacements, car elle s'entendait fort bien avec lui.

« *On avance tellement plus rapidement perchée sur un géant et la vue d'ici est magnifique!* » se disait Nini. « *Ce Bourru est sûrement le meilleur être humain qu'on puisse trouver sur cette terre. Quel dommage qu'il soit affligé de ce caractère emporté qui le prédispose à accuser injustement ses amis.* »

La souris n'oubliait pas de demeurer muette quand elle était témoin d'un oubli ou d'une distraction. Il fallait attendre le déclenchement d'une crise pour intervenir!

Dans la soirée, la souris Nini, de l'intérieur de la poche de chemise de Bourru, fit une autre observation qui lui sembla importante et qu'elle mémorisa :

∽

« Cinquième jour de la période des floraisons.
Le quart de lune atteint la hauteur du clocher de notre belle église. Le géant Bourru prend sa jarre à biscuits et la dépose sur la petite table du salon. »

∽

Un peu plus tard, alors qu'elle s'était faufilée dans le bonnet de nuit du mastodonte, un autre fait digne de mention attira son attention :

∽

« Cinquième jour de la période des floraisons.
Le quart de lune est au zénith du ciel. Le géant Bourru va se coucher. Il oublie de ranger la jarre à biscuits qui se trouve toujours sur la petite table du salon. »

∽

Posté le plus souvent sur son épaule, dans une poche ou sur la tête même du géant, le perspicace petit animal notait toutes ses distractions qui ne manqueraient pas de se traduire tôt ou tard en formidables explosions de colère. Et ces inattentions étaient fort nombreuses, constatait Nini de son poste d'observation privilégié.

«*Ah! si j'avais su que notre géant était aussi distrait*», se dit la petite souris, «*je me serais certainement procuré une machine pensante du grand ingénieur du royaume, notre cher professeur Racine, pour m'aider dans ma tâche de mémoriser tous ces oublis. Toutefois, au rythme où les étourderies se succèdent, la prochaine crise ne devrait pas tarder à survenir.*»

Et ce qui devait arriver arriva. À peine quelques jours s'étaient écoulés depuis le début de la mesure décrétée par le Conseil qu'un nouveau hurlement terrible secoua l'île entière.

«Qui s'est emparé de mes clous géants?» tonna une voix familière.

Le premier être que le géant aperçut fut bien sûr la souris Nini, qui devint donc la première suspecte dans l'affaire.

«Souris Nini!» dit le Bourru en proie à un vif emportement, «pourquoi as-tu déplacé mes clous sans m'en demander la permission?»

Comme on s'adressait à elle, la souris magique se fit un devoir et un plaisir de répondre.

«Cher Bourru», répondit l'obligeant petit animal. «Il me semble que la dernière fois que je t'ai vu faire emploi de ces clous, c'est au moment où tu t'affairais à remettre en état notre barrage. Souviens-toi, j'étais à tes côtés cette journée-là. Tu m'as même saluée en me donnant un gros morceau de succulent fromage. Tu ne peux certainement pas l'avoir oublié! Je te suggère d'aller faire un tour par là pour commencer. Si tu ne trouves pas le sac de clous à l'endroit que je t'indique, nous irons ensemble mettre la main au collet du voleur!»

Naturellement, le géant retrouva tout de suite son sac qui était exactement là où il l'avait laissé. Cette fois-ci, devant les explications circonstanciées de la souris, la mémoire assoupie du géant se réveilla enfin. Il se souvint, qu'en effet, il avait négligé de ranger ses clous et il dut, bien à contrecœur, admettre sa distraction. Maintenant, tout penaud, il s'excusa auprès de la petite bête pour l'avoir faussement accusée du forfait imaginaire.

«*Décidément*», se dit le Bourru, «*un géant de ma taille qui doit s'excuser auprès d'une minuscule petite souris, c'est le comble du ridicule. Il me faudra faire attention la prochaine fois. Je me sens tout honteux.*»

Pendant les heures et les jours qui suivirent, chaque fois que le géant entrait dans une colère terrible, son regard tombait immanquablement sur la petite souris et le même scénario se répétait. On entendait d'abord un cri effroyable :

« Ma jarre à biscuits ! » hurlait le géant.

« Qui s'est emparé de ma montre ! » s'époumonait le colosse.

« Où sont mes chaussures ? » entendait-on crier de bon matin.

Et à chaque fois, la malicieuse Nini faisait en sorte d'être dans l'angle de vision du géant en colère afin qu'elle soit la première à croiser son regard tout de suite après son rugissement. L'histoire se répétait et le Bourru en était quitte pour une autre petite leçon d'humilité. Et puis, petit à petit, les crises s'espacèrent. Les jours passèrent, puis les semaines et enfin les mois. Il semblait bien que quelque chose s'était produit dans l'esprit du géant car on le voyait parfois chercher, toujours accompagné de la souris magique, dans des lieux où on l'avait vu quelques jours plus tôt.

« J'ai trouvé ! » pouvait-on alors entendre dans toute l'île.

Ce cri joyeux se répétait maintenant de plus en plus souvent et toute l'île du Glacier en poussait un soupir de soulagement. Une autre colère venait d'être évitée de justesse ! Plusieurs mois s'étaient maintenant écoulés depuis la dernière tempête et le temps semblait donc tout à fait approprié pour une nouvelle réunion du Conseil.

Le roi Gustave convoqua ses conseillers et les interrogea sur les conclusions à tirer de la récente période d'accalmie dont avaient bénéficié les insulaires.

«Depuis plusieurs mois maintenant», dit le roi, «il semble que le géant Bourru trouve plus d'objets qu'il n'en cherche, si on en juge d'après les cris que l'on entend maintenant. Doit-on conclure que notre stratagème a fonctionné et que les crises attribuables à la distraction de notre ami sont choses révolues?

– Peut-être devrions-nous demander à notre agente, la gentille souris Nini, ce qu'elle pense des récents développements dans l'affaire», suggéra alors le philosophe Kantique.

Puisqu'on s'adressait à elle, la souris, qui était présente, se fit un plaisir de répondre.

«Je puis vous assurer que les terribles crises de Bourru ne se reproduiront plus», rapporta la souris. «Un jour que je prenais mon poste d'observation sur la tête du géant, celui-ci m'a saisie par la queue. Il m'a alors placée dans le creux de sa main devant son gros visage jovial et m'a adressé la parole en ces termes.

– Bonjour, Nini! Je tiens à te remercier de m'avoir ouvert les yeux. Après avoir dû m'excuser quelques fois des injustes accusations proférées à ton endroit, je craignais tellement d'être de nouveau pris en faute que j'ai commencé à réfléchir avant de crier au voleur. Et j'ai alors réalisé qu'en faisant l'effort de me souvenir de mes pas précédents, je retrouvais inévitablement tous les objets égarés! J'ai finalement compris, ou plutôt admis, car je pense qu'au fond de mon cœur je l'ai toujours su, qu'il n'y a jamais eu de voleurs. Il n'y avait qu'un seul géant bien distrait qui n'était pas très honnête avec lui-même mais surtout très injuste envers ses amis. Il cherchait partout des coupables alors qu'il était le seul responsable de ses propres malheurs!»

Après que la souris eut fini de raconter son histoire, le roi Gustave leva la réunion du Conseil. Les colères du gentil géant sont maintenant souvenirs du passé. Et lorsqu'on voit aujourd'hui sa haute silhouette déambuler dans l'île du Glacier, c'est presque toujours avec la souris Nini perchée sur son épaule ou sur sa tête, en inséparables amis qu'ils sont maintenant devenus.

Jacques l'explorateur

Il y a quelque temps de cela, un promeneur, déambulant de bon matin en direction de la grande falaise de l'île du Glacier, n'aurait pu manquer d'y apercevoir un jeune garçon, le regard invariablement tourné vers le large. Ce garçon, très observateur et très curieux pour son âge, se nommait Jacques. Depuis toujours, Jacques était intrigué par la ligne qui semble séparer le ciel de la mer lorsqu'on observe l'océan du haut de la falaise. Lorsqu'il interrogeait les grandes personnes sur ce phénomène intrigant, on le regardait avec un sourire condescendant, tout en lui conseillant de porter son regard vers des objets plus rapprochés.

« On ne peut saisir l'horizon, petit Jacques », lui disait-on. « Alors, à quoi bon s'en préoccuper ? »

Mais cette réponse ne satisfaisait pas le garçon. Il soupçonnait qu'on lui cachait quelque chose. Ou bien on ne voulait pas lui dire ce qu'il y avait là-bas ou bien on ne voulait pas admettre qu'on l'ignorait. Un après-midi, alors qu'il était assis à son poste d'observation, profondément plongé dans ses réflexions, son regard fut attiré par une flottille de bateaux de pêche qui se dessinait sur la ligne d'horizon. Ceux-ci rentraient lourdement chargés à leur port d'attache après une fructueuse journée en mer.

«Ces gens-là se rendent tous les jours tout près de l'horizon», se dit Jacques. *«Je me ferai pêcheur et ainsi je pourrai voir, et peut-être même toucher à cette ligne, et je saurai enfin de quoi elle est faite!»*

Il se rendit au port et expliqua son projet au chef des pêcheurs, le capitaine Martin.

«Bonjour, capitaine Martin!» dit Jacques poliment. «Vous faites le métier le plus merveilleux du monde car vous côtoyez tous les jours l'horizon qui me fascine. Je vous supplie de m'engager dans votre équipage!»

Le capitaine Martin était un homme intelligent. Il comprit le sens de la demande de Jacques et acquiesça sans hésiter. Il lui fit toutefois une mise en garde.

«Je pense que tu vas être un peu déçu si ton but est de toucher à la ligne d'horizon», commença le pêcheur, «car elle s'éloigne dès que nous nous en approchons. Mais cela ne me sert à rien de te le dire. Pour t'en convaincre, tu devras le constater de tes propres yeux. Présente-toi ici demain à la première heure et tu t'embarqueras avec nous. Qui sait? peut-être prendras-tu goût à notre métier. Si oui, je me ferai un plaisir de t'accepter comme apprenti dans mon équipage. Sinon, tu poursuivras ton chemin et tu auras vécu avec nous une expérience fort instructive!»

Jacques ne retint que la partie de la réponse du capitaine Martin qui lui importait. Il s'embarquerait bientôt avec les pêcheurs et il pourrait ainsi observer de tout près le phénomène qui le captivait depuis si longtemps! À l'heure convenue, il était à son poste sur le quai et, quelques minutes plus tard, il voguait à pleines voiles vers l'horizon. Son cœur était rempli de joie et d'espoir.

Malheureusement, la mise en garde du capitaine Martin, qu'il avait négligée de prendre en considération, lui revint à l'esprit. En effet, la ligne d'horizon fuyait dès qu'on faisait mine de s'en approcher. De plus, capitaine Martin et ses compagnons ne semblaient accorder aucun intérêt à ce phénomène si important pour lui. Il participa néanmoins aux travaux du bord en essayant de se rendre aussi utile qu'il le pouvait. Pendant une brève accalmie dans la journée fort chargée que représente une expédition de pêche en haute mer, il s'approcha du capitaine Martin pour lui parler.

« Capitaine Martin ! » dit Jacques sur un ton de reproche, « vous ne semblez pas vous préoccuper du tout de l'horizon. Je regrette de vous dire ceci capitaine, mais nous allons constamment dans la mauvaise direction ! L'horizon est par là alors que vous vous dirigez par ici où je ne vois que du poisson frétiller à perte de vue.

– Cher Jacques », lui répondit chaleureusement le capitaine Martin, « tu me flattes beaucoup car je suis très fier de ma science et de mon art qui me permettent de trouver infailliblement, dans l'immensité de l'océan, l'endroit exact où se trouve le poisson. C'est notre métier et nous en sommes très orgueilleux, mon équipage et moi. C'est un travail très exigeant, comme tu peux le constater, mais aussi très utile car nous contribuons à la prospérité et au bonheur de nos gens.

« Notre récompense, nous la trouvons dans les regards de reconnaissance que nous mérite l'abondance des prises que nous rapportons. Mais nous avons aussi besoin sur notre île du Glacier de quelques chasseurs d'horizons et je pense que c'est là ton véritable intérêt. Malheureusement, j'ignore tout de ce sujet. À notre retour, va trouver maître Kantique et dis-lui que c'est moi qui t'envoie. Il t'indiquera la prochaine étape de ta route. Bonne chance ! »

Jacques participa à toutes les activités de cette longue et harassante journée en y mettant ses meilleurs efforts. Le lendemain matin, il se rendit très tôt chez maître Kantique, grand philosophe de l'île du Glacier et conseiller du roi. Il n'omit pas de mentionner la recommandation du capitaine Martin.

« Si le capitaine Martin te recommande à moi », dit Kantique, « alors je sais que mon temps sera bien employé car le chef de notre flotte de pêche est un homme remarquable. Que puis-je pour toi, mon ami ? »

Et Jacques d'expliquer son intérêt pour le mystère de l'horizon. Il lui raconta également sa journée en compagnie du capitaine Martin et toute l'admiration qu'il éprouvait maintenant pour ces gens si habiles dont, la veille encore, il ignorait tout du métier.

« En cherchant à comprendre l'horizon », répondit Kantique, « tu as fait une découverte au moins aussi importante que le mystère que tu cherches à élucider. Ah ! ce cher Martin ! Sous les dehors un peu rudes que lui impose son exigeant métier, c'est sans doute l'homme le plus fin de toute cette île. Tu peux t'estimer heureux de l'avoir croisé en premier sur ta route. Pour en revenir à ton projet, tu dis que tu brûles du désir de toucher à la ligne d'horizon», ai-je bien compris?

– C'est cela, maître Kantique», dit Jacques, fort intimidé en présence de ce personnage important qui siégeait à la droite du roi Gustave en personne au Grand Conseil de l'île du Glacier!

– Eh bien, voilà», reprit Kantique, «l'horizon est un sujet très vaste. Comme il est difficile de savoir à quel endroit te mèneront tes recherches, tu dois d'abord te mettre à l'étude sérieuse d'une science difficile mais indispensable. Il s'agit de l'art de toujours retrouver son chemin lorsqu'on visite des territoires inconnus. En voici le traité que tu devras lire attentivement!»

Maître Kantique se dirigea alors vers sa vaste bibliothèque et se rendit directement à un endroit précis sans avoir à consulter de registre. Il tendit la main vers un rayon et, sans aucune hésitation, prit un fort imposant volume et le tendit à Jacques. Sur la couverture, on pouvait lire le titre suivant :

∼

Traité de la navigation en régions inconnues :
Méthodes et techniques

∼

Jacques était très intimidé par l'aspect du volume et encore davantage par son contenu. Comme tout cela semblait difficile! Il y avait quantité de symboles inconnus, de diagrammes compliqués et de schémas à l'allure tellement redoutable. Parviendrait-il à assimiler tout cela? Atteindre une chose aussi simple que la ligne d'horizon demandait-il forcément autant d'efforts? Timidement, il confia ses appréhensions à maître Kantique.

«Maître, voici un traité qui me semble bien difficile», dit Jacques. «Est-ce bien nécessaire d'apprendre tout ceci avant de se lancer à l'assaut de l'horizon? Pourtant, il me semblait encore hier qu'on n'avait qu'à tendre la main pour le saisir et le tour était joué!

– Mon cher Jacques», répondit Kantique, «tout ce dont on peut être certain au sujet de l'horizon, c'est que personne ne l'a jamais atteint. Puisque la route pour s'y rendre nous est inconnue, je ne peux donc pas te confier une carte pour te guider. Toutefois, quel que soit l'endroit où tes pas te mèneront, tu dois pouvoir revenir parmi nous pour raconter ce que tu auras vu. Quel malheur pour nous tous si, ayant perdu ta route, tu ne revenais jamais!

– Je comprends», dit Jacques, «mais pourquoi est-ce si laborieux de retrouver son chemin?

– Disons que cela demande de la méthode», répondit le philosophe. «Emprunter les sentiers battus est plus facile, car il s'agit de suivre les pas d'une autre personne et de s'en souvenir. Lorsqu'on sort des routes connues, il faut toujours savoir comment revenir vers des territoires familiers, si le besoin s'en fait sentir. C'est pour cela qu'il faut apprendre la science des figures, des nombres et des étoiles. Lorsqu'on maîtrise ces sujets, on peut toujours retrouver son chemin pour revenir chez soi. On est donc prêt à voyager dans les régions inconnues où, quelque part, se trouve l'horizon que tu cherches !

– Mais, maître Kantique ! » dit Jacques, qui était toujours un peu terrorisé par l'idée de se plonger dans une discipline si ardue, « supposons que la ligne d'horizon n'existe que dans mon imagination et que je ne la trouve jamais. J'aurai donc fait l'effort d'apprendre toute cette science pour rien !

– Regarde les rayons de cette bibliothèque », répondit Kantique en indiquant d'un vaste geste circulaire les milliers et les milliers de volumes qui s'y trouvaient. C'est l'ensemble de toutes les connaissances que nous avons accumulées sur le monde qui nous entoure. Il s'agit d'un de nos plus beaux trésors. Tous les jours, nos habitants ainsi que nos voisins et amis du continent visitent cette bibliothèque afin de consulter un volume ou un autre. Or, chacun de ces livres a été écrit par un chasseur d'horizon qui est rentré bredouille de sa quête. Malgré leur déception, ces explorateurs nous ont fait un compte rendu exact de leur voyage.

Heureusement qu'ils connaissaient le chemin du retour car jamais nous n'aurions pu accumuler autant de savoir!

— Est-ce à dire que je rentrerai bredouille à mon tour?» interrogea Jacques, un peu inquiet mais aussi déçu d'apprendre qu'il n'était pas le tout premier chasseur d'horizon de l'histoire de l'île du Glacier.

— Si je le croyais sincèrement», répondit Kantique d'un ton soudainement devenu plus grave, «je ne serais pas ici à converser avec toi. Peut-être seras-tu le premier à nous apporter cette réponse. Allons, mets-toi au travail maintenant! Il te faudra un certain temps pour comprendre le contenu de ce volume. Profite de ce délai pour grandir et devenir fort. Une bonne santé est toujours bien utile lorsqu'on a choisi le métier de chasseur d'horizon!»

Les semaines, les mois, puis quelques années passèrent. Petit à petit, Jacques commençait à comprendre la science des figures. Puis, il attaqua celle des nombres et enfin, la plus difficile de toutes, la science des étoiles! Entre-temps, il avait grandi et faisait de l'exercice pour être fort comme le lui avait recommandé maître Kantique. Un beau matin, il se sentit prêt à entreprendre son expédition. Il serait le premier à toucher la ligne d'horizon! Il se rendit chez Kantique pour lui faire part de ses progrès et de son désir de passer à l'étape suivante de son projet.

Le philosophe l'accueillit chaleureusement. Il glissa de manière anodine quelques questions dans la conversation, histoire de mettre à l'épreuve les connaissances de son protégé. Il lui jeta aussi un coup d'œil et constata qu'il était plus grand et plus fort que lors de leur dernière rencontre. Jacques était prêt, le grand moment était enfin arrivé! Le Grand Conseil de l'île du Glacier fut convoqué pour mettre à la disposition de Jacques un navire équipé pour la recherche de l'horizon.

Et comme ce projet avait l'aval de Kantique, la réunion ne fut qu'une formalité. Le roi Gustave en personne, ainsi que tous les autres membres de l'assemblée, souhaitèrent la meilleure des chances à Jacques. Le professeur Racine, le grand ingénieur du Royaume, offrit à l'explorateur une de ses plus récentes machines pensantes afin de l'aider à retrouver son chemin. Il est si facile de faire des erreurs d'attention et les conséquences sont si graves lorsqu'on marche dans l'inconnu! L'explorateur Jacques prit la mer sous les acclamations et les encouragements de tous les habitants de l'île du Glacier qui s'étaient réunis pour lui souhaiter un beau voyage.

Les semaines, les mois, puis quelques années s'écoulèrent sans qu'on entende parler de Jacques dans l'île du Glacier. Avait-il enfin touché la ligne d'horizon? Ou s'était-il égaré en cours de route, conséquence d'une faute de calcul ou par suite d'une erreur dans l'application de la science des étoiles? La science des étoiles est tellement compliquée et il est si facile de s'y perdre, même quand on peut recourir à l'aide d'une machine pensante!

Puis un beau jour, une voile fut aperçue à l'horizon. C'était le navire de Jacques qui était de retour! Le navire de l'explorateur rentrait chargé de nombreux volumes relatant toutes les aventures qu'il avait vécues et toutes les rencontres extraordinaires qu'il avait faites pendant ses pérégrinations. Oui, vraiment! On pouvait dire que le voyage de Jacques avait été très fructueux!

L'aspect du voyageur était différent de celui qu'il avait à son départ. Il semblait encore plus grand et plus fort et son regard brillait d'une confiance qu'on ne lui avait jamais connue auparavant.

Une grande fête fut organisée et, durant trois jours et trois nuits, toutes les activités cessèrent sur l'île du Glacier pour célébrer l'arrivée de l'explorateur qui avait su retrouver son chemin et qui était rentré chez lui ! Le voyageur relatait ses récits de voyages et toute l'île demeurait suspendue à ses lèvres pour écouter l'histoire de ces pays lointains et des êtres féeriques qui les habitaient.

On demeurait glacé d'effroi lorsqu'on entendait Jacques raconter comment il avait failli perdre sa route à plus d'une reprise ! Le danger le plus grave était survenu dans une région très froide où la machine pensante, enrhumée, s'était mise à tousser des chiffres erronés. Jacques avait bien senti que quelque chose n'allait pas et il avait dû refaire mentalement tous les calculs afin de trouver l'erreur. Ah ! ces machines pensantes !

À ce moment du récit, le professeur Racine, le grand ingénieur de l'île du Glacier, se sentit un peu penaud et promit d'apporter les améliorations nécessaires pour que cela ne se répète plus. Mais personne ne lui en tint rigueur. Jacques était revenu et c'est tout ce qui comptait. Ne dit-on pas fort justement dans cette île de gens peu rancuniers que tout est bien qui finit bien ?

Mais une question brûlait toutes les lèvres et personne n'osait la poser. Jacques avait-il touché la ligne d'horizon, ce qui était le but déclaré de son expédition ? Si tel était le cas, il n'en souffla pas un mot pendant ses récits. On respecta son désir de garder le silence et personne n'eut l'inconvenance de l'interroger directement. Lorsque l'île retourna à ses activités habituelles, Jacques se rendit chez maître Kantique. Ce dernier se doutait bien de la raison de cette visite.

« Alors, maître Jacques, votre expédition se termine sur une note heureuse », dit chaleureusement Kantique qui vouvoyait maintenant l'explorateur. « Vous avez retrouvé votre route et notre bibliothèque s'est enrichie de nouveaux volumes passionnants et fort instructifs qui feront le bonheur des habitants de l'île du Glacier et de ses voisins.

– Mon cher maître », dit Jacques hésitant et qui ne semblait pas partager l'enthousiasme du philosophe,

« je suis un peu troublé par les derniers événements survenus pendant mon voyage et je voulais vous en parler.

– Continuez, mon ami », répondit Kantique sur un ton bienveillant et qui invitait à la confidence.

– Comme je gagnais toujours davantage confiance dans ma science et dans mon art de retrouver mon chemin en territoires inconnus », poursuivit Jacques, « j'ai décidé de continuer à avancer encore et encore. Naturellement, la ligne d'horizon reculait toujours, mais qu'à cela ne tienne ! Je poursuivais ma chasse sans relâche ! »

Il s'interrompit pour s'éclaircir la voix car la suite venait difficilement à ses lèvres.

« Maître Kantique », dit Jacques, « il faut que je vous le dise même si c'est très pénible pour moi de l'admettre. Je ne suis pas ici parce que j'ai retrouvé le chemin vers mon point de départ. Je pourrais le faire et je peux le prouver ! Mon journal de bord et le témoignage de ma machine pensante le démontrent hors de tous doutes. Mais je suis revenu à bon port, dans notre chère île du Glacier, alors même que je pourchassais l'horizon ! Je ne sais que conclure. Ai-je ou non atteint l'horizon ? Suis-je ou non un véritable explorateur qui sait retrouver son chemin en territoires inconnus ? J'arrive au terme de mon voyage, tout le monde m'acclame, je rapporte une abondante quantité de connaissances importantes et utiles mais néanmoins, je suis aujourd'hui accablé par l'incertitude !

– En premier lieu», répondit Kantique, «laissez-moi vous féliciter chaleureusement car aucun explorateur avant vous n'avait réussi un tel exploit. Nous ignorions même qu'il était possible de regagner son point de départ de cette manière. Votre contribution est la plus riche de toutes les expéditions que nous ayons lancées à ce jour et vous devez vous considérer satisfait de votre entreprise. Vous avez vu des mondes nouveaux, les épreuves et l'effort ont fait de vous un être d'exception et, quelle chance pour nous, vous voilà de retour par un chemin inusité, mais tout à fait légitime. De plus, puisque vous avez toutes les preuves pour nous le démontrer, nous pourrons bientôt l'emprunter à notre tour !

– Mais que dois-je faire maintenant ?» reprit Jacques. «Dois-je reprendre la route mais vers quel but cette fois-ci ? Avant mon départ, tout était clair. Je devais travailler pour devenir un grand chasseur d'horizon. Pendant des années, je l'ai pourchassé en y mettant tout mon art, toute ma science et toute mon énergie. Ce retournement de situation m'a complètement dérouté. Aujourd'hui, pour la première fois de ma vie, tout semble confus dans mon cœur et dans mon esprit.

– Mon cher Jacques», reprit Kantique après une courte pause, «pourquoi ne pas accepter le dénouement de votre voyage comme sa nécessaire conclusion? Nous en avons pour des années à récolter toute la riche moisson de votre dernière expédition. Vous pouvez demeurer avec nous pour nous seconder dans cette tâche. Vous avez pris contact avec de nouveaux peuples. Nous devons maintenant établir avec eux des relations amicales et fructueuses. Vous nous serez précieux dans cette entreprise puisque vous les connaissez mieux que quiconque.

«Nous devons également établir la cartographie exacte des régions nouvelles que vous avez explorées pour que nos marins puissent naviguer dans ces eaux sans courir les mêmes périls que vous avez dû affronter. Vous pouvez aider le professeur Racine à corriger cette défectuosité des machines pensantes qui aurait pu vous être fatale dans la région froide. Nous devons également réformer notre science des figures pour inclure cette nouvelle manière de retrouver son chemin que vous nous avez apprise. Je ne cite ici que quelques exemples mais votre imagination fertile fera le reste.

— Vous avez raison», répondit Jacques qui reprenait courage. «Dans mon cœur confus, je sens l'espoir renaître car je vois un nouveau chemin se dessiner sous mes yeux. Mais une question me trouble encore maître Kantique.

— Quelle est-elle?» demanda le philosophe.

— Mais qu'en est-il vraiment de la ligne d'horizon qui est à l'origine de toute cette entreprise?» demanda Jacques. «Existe-t-elle vraiment? La découvrirai-je un jour?»

Kantique fit une nouvelle pause, plus longue cette fois-ci, pour se recueillir, et il commença.

«Un jour, vous verrez briller dans le regard d'un de nos jeunes habitants, un de vos propres enfants peut-être, une étincelle que vous saurez reconnaître dès le premier instant», dit Kantique d'un ton inspiré. «C'est la flamme qui brille au cœur de l'authentique chasseur d'horizon. Lorsque vous détecterez cette flamme, vous prendrez la jeune personne qui la couve sous votre aile et vous lui enseignerez votre art. Ce sera peut-être l'un de vos jeunes élèves qui découvrira enfin cet horizon qui nous échappe depuis toujours!»

Le charlatan Silogue

La renommée du philosophe Kantique, un des plus illustres habitants de l'île du Glacier, avait depuis longtemps franchi ses rivages pour atteindre le continent voisin et d'autres endroits beaucoup plus éloignés. Sa grande finesse d'esprit, son érudition et sa sagesse étaient hautement appréciées par tous ceux et celles qui accouraient de partout pour le consulter. Lors des rares séances du Conseil de l'île du Glacier, qui ne se réunissait que pour traiter des affaires les plus graves, le penseur siégeait toujours à la droite du roi Gustave. Depuis la création de ce Conseil, il n'était jamais arrivé que le roi divergeât d'opinion d'avec son fidèle conseiller, tant ses avis étaient toujours sensés et réfléchis.

Le philosophe Kantique enseignait que toute personne, à l'égale des puissants de ce monde, disposait de deux conseillers qui devaient toujours être écoutés quand le moment de prendre une décision importante arrivait. Le premier conseiller était la raison et le second, le cœur. Ils étaient tous les deux d'une importance équivalente. La raison était nécessaire car elle expliquait la marche des choses en ce monde. Le bon sens et l'éloquence venaient toujours à bout d'une raison défaillante ou errante. Les véritables réponses aux motifs du cœur ne pouvaient se trouver qu'en celui-ci. Toutefois, en s'appliquant à être honnête envers elle-même et juste envers les autres, la personne affligée du doute parvenait toujours à trouver dans son cœur une réponse sincère.

Bien sûr, cela demandait des efforts et de la patience pour vaincre de cette manière l'angoisse, les préjugés et la peur. Parfois, il fallait même s'y reprendre encore et encore pour trouver une solution satisfaisante car la réponse du cœur et celle de la raison s'opposent si souvent ! Mais de reconnaître ses erreurs et apprendre de ses expériences passées, cela faisait partie intégrante de la méthode enseignée par maître Kantique. Le philosophe admettait même que l'échec était une possibilité avec laquelle on devait vivre mais à laquelle il ne fallait pas se résigner.

Un jour, un charlatan était débarqué sur les rivages de l'île du Glacier pour proposer une formule beaucoup plus simple et surtout bien moins exigeante. Cet imposteur portait le nom saugrenu de maître Silogue. Comme l'île du Glacier était une communauté ouverte et hospitalière, on le laissa s'installer et établir sa pratique. Selon la théorie fumeuse de maître Silogue, qui cherchait à remporter l'adhésion des naïfs et des commères, il n'était pas nécessaire de faire tous les efforts prescrits par le bon philosophe Kantique pour chasser la confusion, l'angoisse et les préjugés.

Sa curieuse méthode consistait d'abord à affubler les gens de noms obscurs et indéfinissables. Au début, certains habitants de l'île du Glacier se laissèrent berner par l'attrait de la nouveauté, et surtout, de la facilité. Après une brève consultation avec maître Silogue, ces derniers sortaient de son cabinet de consultation avec un certificat. Sur ce document était écrit un mot déroutant censé décrire leur état. Par exemple, certains patients se voyaient attribuer la mention de *narcinistes.* D'autres encore étaient catalogués *nivrosiques* ou encore *automasmes.*

Personne ne pouvait expliquer précisément ce que ces mots insolites pouvaient bien vouloir dire. Mais l'astucieux maître Silogue savait qu'en semant encore plus de confusion dans les esprits déjà vulnérables, il s'assurait que la clientèle ne lui ferait jamais défaut. Et de fait, force était de constater que la pratique du nouveau venu marchait rondement.

Le second volet de la supercherie du manant consistait à miner encore davantage la sérénité des habitants en cultivant et en provoquant la dispute entre les différents groupes créés artificiellement par l'attribution de noms vides de sens. Ainsi, d'après la théorie de maître Silogue, les *narcinistes* ne pouvaient s'entendre avec les *copressifs*, et pourtant aucune explication logique ne venait élucider l'origine de cette curieuse disposition chez les uns et chez les autres. Lorsqu'ils se rencontraient par hasard, ils étaient encouragés à se disputer sans motif autre que les noms inscrits sur les certificats de maître Silogue.

Cependant, petit à petit, les effets de la pratique de ce charlatan commençaient à se faire de plus en plus sentir. Des querelles éclataient et des mots blessants s'échangeaient sur la place du marché. C'était la première fois que de tels événements se produisaient sur cette île où la seule idée de blesser la sensibilité d'un concitoyen avait toujours été considérée jusqu'ici comme un crime inqualifiable.

Bientôt, sur toute l'île du Glacier, retentit la clameur des discordes, des échanges acrimonieux et même de quelques bagarres, ce qui ne s'était jamais vu auparavant. Et au-dessus de ce vacarme s'élevait l'insupportable babil de la commère Ritournelle, une patiente assidue de maître Silogue. Elle répétait partout, à qui voulait l'entendre, « qu'il n'avait jamais fait si bon vivre sur l'île du Glacier qu'en cette époque bénie ! »

Le premier événement significatif de cette période troublée survint lorsque le paisible géant Bourru, incapable de supporter le tumulte et les insultes, se retira dans son château et refusa de participer aux grands travaux publics. Le sergent Matamore, qui passait auparavant le plus clair de son temps à dormir, était maintenant appelé à intervenir dans une multitude d'altercations qui éclataient çà et là, pour un oui ou pour un non.

Le pauvre rentrait chez lui épuisé à la fin de la journée, couvert de plaies et de bosses, résultat de coups égarés lors des conflits qu'il devait calmer. Les habitants de l'Île du Glacier souffraient maintenant tous d'angoisse et la plupart consultaient maître Silogue qui se faisait un plaisir de décerner de nouveaux certificats. Tous les jours, il inventait des noms pour satisfaire une demande maintenant insatiable de nouvelles maladies « silogiques », comme on les appelait dans l'île.

Devant le risque réel de grand désordre qui semblait en voie de se développer, le Grand Conseil de l'île, présidé par le roi Gustave, se réunit. Pour la première fois, le roi dut faire usage de son maillet de président d'assemblée.

«Silence! Silence!» martelait le roi Gustave pour couvrir le vacarme des disputes, «ou je fais évacuer la salle!»

L'instrument se brisa sous la force de l'impact car le roi Gustave était lui-même très en colère devant un tel spectacle. Seul le philosophe Kantique, bien que lui-même fort anxieux, semblait conserver un calme apparent. Le roi poursuivit :

«Nous sommes ici», commença le roi, «pour trouver l'origine de tous ces litiges et de la dissension qui règnent chez nous depuis quelque temps.»

Une voix s'éleva de la salle. Il s'agissait du notaire LaPlume qui semblait fort agité et qui réclamait la parole. Le roi l'invita à s'exprimer.

«Avancez, notaire LaPlume!» commanda le roi avec autorité, «et expliquez à ce Conseil le motif de votre évidente colère.

– Eh bien!» dit le notaire très nerveux, «les récents événements sur l'île du Glacier m'ont à ce point troublé que j'en ai perdu le sommeil. Comme je désirais une solution immédiate, je suis allé consulter maître Silogue. Vous comprenez, je ne puis me permettre de perdre une journée de pratique par manque de sommeil. Celui-ci m'a remis un certificat confirmant mon état de *népatique*. D'après maître Silogue, un *népatique* ne peut vivre à proximité d'un *coverti* car cela entraîne l'angoisse ainsi qu'un sommeil troublé. Or, mon voisin, le pâtissier

Moulu appartient à ce groupe infortuné. Il est donc nécessaire de l'expulser de sa maison! Je demande au roi d'exiler à tout jamais le pâtissier Moulu de l'île du Glacier car nous ne pouvons tolérer la présence d'un *coverti* dans cette communauté!»

Un tumulte envahit la salle.

«Le notaire LaPlume a raison! Chassons les *covertis* de l'île du Glacier car leur présence trouble notre sommeil!» entendit-on fuser de plusieurs endroits dans la salle.

– Non! ce sont les *copressifs* qu'il faut éloigner!» répliqua un groupe d'*apatriques* en colère. Ils troublent notre digestion et seul leur départ rétablira notre équilibre *antophatique*. C'est maître Silogue qui nous l'a affirmé!»

Le roi Gustave était totalement dérouté par la tournure des événements. Il se pencha vers le philosophe Kantique et lui demanda :

« Mon cher Kantique », dit le roi désemparé, « dites-moi sans détour. Comprenez-vous quelque chose à ce charabia ? Pour ma part, je n'en saisis pas un traître mot. Ne craignez pas de m'offusquer en me révélant mon ignorance. En situation de crise, il faut être d'une loyauté et d'une franchise totales !

– Mon bon roi », répondit le philosophe, « il est parfaitement compréhensible que vous ne saisissiez rien à tout ceci car il n'y a rien à comprendre. Tous ces mots sont vides de signification et les phrases que vous entendez sont parfaitement creuses. C'est ce qui les rend d'ailleurs encore plus dangereuses. C'est le signe indubitable que l'intolérance, l'ignorance et les préjugés viennent de s'introduire en force chez nous. Vos bons sujets ont tous été bernés par l'incroyable adresse du charlatan que nous avons accueilli sur notre île. La situation est plus critique que je ne le croyais. Il faut trouver une solution et rapidement. Sinon, c'en est fait de la communauté de l'île du Glacier. C'est la plus grave menace que nous ayons affrontée jusqu'ici !

– Dois-je expulser ce prétendu maître Silogue de notre île sur-le-champ ? » demanda le roi à son éminent conseiller.

– Il est trop tard maintenant », répondit le philosophe de plus en plus soucieux. « Notre seul espoir consiste à révéler la supercherie de Silogue à nos gens et à laisser le bon sens reprendre ses droits. Mais cela ne sera pas facile. »

Le roi décréta donc la fin du Conseil et chacun s'en retourna chez soi.

Le lendemain matin, alors que le philosophe Kantique méditait un plan pour faire retrouver la raison à ses amis, un grand émoi secoua l'île du Glacier tout entière. Une première véritable tragédie venait de survenir depuis l'arrivée de maître Silogue. Un jeune assistant de maître Routinier, un dénommé LaForce, très aimé et apprécié de son entourage, venait de se précipiter du haut de la grande falaise de l'île.

Après enquête du sergent Matamore, il fut révélé que LaForce avait consulté maître Silogue deux jours avant le drame. Celui-ci lui avait décerné un certificat portant la mention *sitroze*. Le lendemain, il était éconduit par sa jeune fiancée, la jolie Clémentine, qui ne pouvait plus se résoudre à marier un homme affligé d'une telle tare. On aurait entendu le malheureux crier avant de se précipiter dans les flots :

« Ah ! vie maudite qui m'a fait naître *sitroze*. Je te rejette car tu ne vaux plus la peine d'être vécue ! »

Pendant trois longues journées, l'île du Glacier observa le deuil. Aucun travail ne s'effectua et aucune parole ne fut prononcée. Même la commère Ritournelle se tut. Jamais un tel événement n'était arrivé dans l'île du Glacier et tout le monde en demeura paralysé d'effroi. Pour la première fois, on entendit murmurer des commentaires défavorables à l'endroit de maître Silogue. La mère éplorée, la première à qui l'immense douleur avait fait retrouver toute sa lucidité, s'écria :

« C'est la main de l'infâme Silogue qui a poussé mon fils du haut de la falaise ! » s'écria la femme au comble de la détresse.

Ce cri du cœur, lancé par une mère en proie à la plus vive des souffrances qui se puisse concevoir, réveilla la raison assoupie des habitants de l'île du Glacier. Timidement, on recommença à frapper à la porte de Kantique pour obtenir son avis. Le notaire LaPlume se présenta avec son certificat attestant qu'il était *népatique* et demanda au philosophe s'il avait bien eu raison de demander l'expropriation de Moulu, le pâtissier *coverti*, lors de la dernière assemblée. Depuis ce jour, les relations entre les deux voisins, qui avaient toujours été marquées du sceau de la plus franche cordialité, étaient devenues glaciales, voire franchement hostiles.

« Depuis que je suis en froid avec ce bon Moulu, qui ne m'avait causé aucun tort », dit LaPlume, « je suis dévoré par l'angoisse. Jamais mon sommeil n'a été aussi perturbé que ces temps-ci. Et avec ce terrible drame qui a emporté le regretté LaForce, je suis au bord de l'effondrement. Je suis allé voir maître Silogue qui m'a simplement demandé de croire aveuglément en lui sans chercher à comprendre. Ceci est tellement éloigné de votre enseignement, mon cher Kantique. Il me semble que nous vivions plus heureux quand chacun d'entre nous faisait confiance à son cœur et à sa raison, à parts égales, plutôt que de se tirailler pour des mots obscurs dont nous ne comprenons même pas le sens. »

Le philosophe était bien sûr heureux de voir que la lucidité et le bon sens reprenaient ses droits dans l'île du Glacier. Il était seulement infiniment triste qu'il ait fallu le cri déchirant d'une mère détruite par le chagrin pour revenir à une situation qui n'aurait jamais dû changer. Le philosophe envoya chercher Moulu et confronta les deux braves insulaires.

«Alors, mon cher LaPlume», dit le philosophe lorsqu'il eut les deux hommes en sa présence. «Expliquez-moi brièvement le mal dont souffre votre voisin et qui vous pousse à réclamer son expulsion de notre bonne île.

– L'individu affligé de *covertitude*», dit LaPlume en s'éclaircissant la voix, «présente des comportements *toniciques*. À leur tour ces comportements perturbent à distance mon taux de *glomique*, ce qui me prive de sommeil. Il faut alors éloigner l'*agent pathogène*», compléta LaPlume, manifestement fier de la dernière expression qu'il avait apprise par cœur pour impressionner Kantique.

Le pâtissier Moulu, à l'énoncé de cette description, commença à s'agiter sur sa chaise. Il s'apprêtait à répondre au notaire LaPlume en paroles, sinon en actes, lorsque Kantique lui fit un signe discret de la main pour le calmer.

« Attendez un peu, mon cher Moulu, avant de vous emporter », dit Kantique, « je n'ai pas encore terminé avec LaPlume. »

Le philosophe demanda alors à LaPlume.

« Décrivez-moi votre voisin tel que vous l'avez toujours connu auparavant, sans utiliser le vocabulaire et les expressions de maître Silogue. Employez vos propres mots et ne vous fiez qu'à vos souvenirs de voisinage avec monsieur Moulu. »

Le ton et l'attitude du distingué notaire changèrent immédiatement du tout au tout. De sentencieux, artificiel et cassant, il devint plein d'égards et de sollicitude.

« Le pâtissier Moulu est le meilleur voisin qu'on puisse trouver sur cette île », reprit alors un LaPlume transformé. « Il est courtois, serviable et trouve toujours un bon mot pour réjouir le cœur des gens qui l'entourent. Avant sa *maladie*, il nous comblait de succulentes pâtisseries et du meilleur pain qui se puissent trouver sur l'île et le continent. Nous aimions ce Moulu comme un membre de la famille et l'harmonie régnait entre nous. Quel dommage que maître Silogue nous ait révélé son *mal* !

– Avez-vous noté un changement quelconque chez Moulu ? » reprit le philosophe, « après que maître Silogue eut diagnostiqué ce *mal*, comme vous dites ?

– Euh non », répondit LaPlume de manière hésitante.

– Un grief légitime est-il né d'un acte inapproprié à votre égard et dont le pâtissier Moulu se serait rendu coupable?» interrogea ensuite Kantique.

– Pas que je me souvienne», dit LaPlume qui devenait un peu nerveux.

– Donc», continua le philosophe, «votre dispute repose uniquement sur les certificats décernés par maître Silogue?

– C'est juste», acquiesça LaPlume à contrecœur.

– Si nous démontrons que ces mots et ces phrases sont vides de contenu», continua Kantique, «alors votre dispute s'évanouit car elle n'a plus de raison d'être.

– Cela m'apparaît être la conclusion nécessaire», dut convenir le notaire.

Et le philosophe de reprendre mot par mot, phrase par phrase, le diagnostic de maître Silogue tel que rendu ci-dessus par le notaire LaPlume.

«Dites-moi, notaire LaPlume», continua patiemment Kantique, «qu'est-ce qu'un comportement *tonicique?*»

Le notaire s'embourba dans ses explications et dut finalement admettre qu'il ne savait pas vraiment de quoi il retournait. La conférence se poursuivit de cette manière pendant de longues heures avec LaPlume et Moulu. À la fin, le notaire LaPlume convint qu'il ne comprenait pas un seul mot de ce fameux diagnostic qu'il répétait tel un perroquet et qui ruinait sa relation de bon voisinage. Le pâtissier Moulu fut forcé, lui aussi, d'admettre sa propre ignorance.

«Mais peut-être maître Silogue dit-il vrai, même si nous n'y comprenons rien!» lança alors Moulu qui s'animait subitement. «Alors, le risque de vivre dans le voisinage de LaPlume est inacceptable car il m'est déconseillé de me trouver à proximité d'un *népatique*!»

Cette fois-ci, c'est le notaire LaPlume qui s'apprêtait à passer aux mains lorsque Kantique l'arrêta du regard.

«Nous y arrivons enfin!» dit le philosophe. «Voilà en fait le cœur de la question. Il s'agit de la *confiance*. À qui, pourquoi et en quelles circonstances devons-nous l'accorder?

– Donc!» s'écria Moulu frappé d'une soudaine illumination, «il nous faut déterminer, avec notre cœur et notre raison, si maître Silogue mérite notre confiance !

– Nous sommes sur la bonne voie ! » soupira le philosophe. Il était fatigué car cette conférence se poursuivait depuis de nombreuses heures. Mais, il était important de vider cette importante question avant de renvoyer les deux voisins dos à dos.

« Que savons-nous vraiment de maître Silogue ? » demanda d'abord Kantique, « et comment pouvons-nous juger de la valeur de sa pratique sur le bien-être de l'île et de ses habitants ? »

Kantique appela alors le constable Matamore à qui il avait demandé de s'informer sur le passé de Silogue. Le sergent Matamore présenta les résultats préliminaires de son enquête. Les pires craintes de Kantique s'avérèrent fondées. Partout où maître Silogue était passé, il avait semé le désordre, la haine et la confusion dans l'esprit des gens qui avaient commis l'erreur de lui accorder l'hospitalité. Certains avaient réagi à temps, tandis que d'autres avaient subi la destruction, partielle ou totale, des mécanismes du cœur et de l'esprit. Certains peuples en avaient même perdu toute confiance *en eux-mêmes*, ce qui est bien la pire chose, et s'étaient effondrés rapidement.

« Nous avons donc de sérieux motifs de douter de la bienveillance de maître Silogue à notre égard », reprit Kantique. Mais ce n'est pas suffisant.

Il faut juger l'arbre à son fruit. Que nous a apporté maître Silogue depuis son arrivée?

– Des disputes, de la discorde et des insultes!» s'écria LaPlume.

– De la bagarre, des coups et des plaies!» continua le sergent Matamore.

– Nous avons perdu ce cher LaForce, ce qui est la plus grave de toutes nos blessures!» ajouta finalement Moulu en réprimant un sanglot.

– Croyez-vous que maître Silogue mérite la même confiance que celle que nous accordons au docteur Globule, par exemple, le grand médecin de l'île du Glacier? Mérite-t-il la confiance que nous octroyons aussi au professeur Racine, le grand ingénieur de notre bon royaume?» interrogea Kantique à la ronde.

– Sûrement pas!» répondit Matamore avec conviction, «je comprends peu de chose à la science du docteur Globule mais ses onguents soulagent vraiment les bosses que je me suis infligées depuis le début de l'affaire. Le docteur est passionné par le bien-être des gens, il travaille sans relâche et, dès qu'une maladie se déclare, on le voit accourir au chevet des malades pour enrayer la souffrance. Tous s'entendent sur les bienfaits que sa présence apporte à l'île du Glacier. Globule mérite pleinement toute ma confiance!

– Quant au professeur Racine », reprit LaPlume, « c'est aussi un homme digne de confiance. Je ne comprends pas grand-chose non plus aux mécanismes de ses machines mais elles fonctionnent presque tout le temps pour notre plus grand bien-être. Et lorsqu'une panne survient, quelle que soit l'heure du jour ou de la nuit, le professeur Racine accourt immédiatement avec une armée d'assistants pour remettre les choses en ordre avec tout l'empressement possible. Et le professeur lui-même ne quitte jamais les lieux tant que la machine défaillante n'a pas recommencé à fonctionner ! Quel grand citoyen de l'île du Glacier que ce Racine ! »

Matamore et Moulu firent chorus pour approuver chaleureusement l'émouvant témoignage de LaPlume.

Le philosophe conclut en ces termes :

« Il est tard maintenant et nous sommes fatigués. L'heure n'est pas propice à une décision précipitée. Rentrez chez vous et recherchez, dans votre cœur et votre raison, la juste conduite à suivre. »

Pendant les jours qui suivirent, la conversation à laquelle nous venons d'assister se répéta souvent dans le cabinet du philosophe Kantique. Des discussions dans le même sens furent entendues encore et encore sur la place du marché. Peu à peu, on cessa de percevoir les termes incongrus comme, *népatisme* ou *tonicisme*. Les conversations tournaient maintenant autour d'idées et de concepts de la vie de tous les jours, comme la *confiance*, la *persévérance* ou la *reconnaissance*.

Un bon matin, la commère Ritournelle se rendit au cabinet de maître Silogue pour une nouvelle consultation. Mais le cabinet était désert! Silogue avait disparu! Le charlatan avait bien senti le vent tourner. Il savait la partie perdue et s'était empressé de plier bagage. Lorsque les gens recommencent à faire confiance à leur cœur et à leur raison, les charlatans sont en grave danger! Il était parti en quête de nouveaux peuples de naïfs et de commères pour poursuivre sa lucrative pratique.

La victoire était cependant bien amère au cœur du philosophe Kantique. La perte du malheureux LaForce le laissait inconsolable. Comme il se rendait à la falaise pour y faire un pèlerinage quotidien, il croisa sur son chemin le mouton Boris qui le regardait sans rien dire. Le philosophe lui adressa la parole.

«Voilà de bien tristes moments pour toute notre île du Glacier», dit Kantique. Survivrons-nous à ce terrible malheur? Nous sommes bien ébranlés.

– Nos bonnes gens ont appris une douloureuse leçon et en ont payé le prix fort», répondit Boris, le mouton magique doté du don de la parole. «Dans les affaires du cœur et de la raison, il n'y a pas de solutions miraculeuses. Il faut réfléchir avec rigueur et écouter son cœur avec honnêteté. C'est difficile, bien sûr, mais il n'y a pas d'autres manières.

– Que devons-nous faire pour ne point l'oublier?» demanda Kantique.

Et le mouton Boris de répondre.

«Mon cher Kantique», demande au géant Bourru de dresser une statue à la mémoire du regretté LaForce. Sur le socle, on y portera l'inscription suivante :

∽

«Cette statue a été érigée en l'honneur de notre cher concitoyen LaForce, martyr de l'ignorance, de la confusion, et des mots vides de sens.»

∽

Jeannot l'inventeur

En toute justice, chaque habitant de l'île du Glacier aurait certes mérité qu'on raconte son histoire. Nous avons retenu pour ce prochain conte l'aventure étonnante d'un garçon sympathique et fort habile de ses mains, qui se nommait Jeannot. Pendant toute sa jeunesse, Jeannot avait été le fidèle assistant du professeur Racine, le grand ingénieur de l'île du Glacier. Le professeur pouvait toujours compter sur le savoir-faire de son protégé pour réaliser les idées nouvelles qui jaillissaient constamment dans son esprit fertile.

En fait, Jeannot comprenait exactement ce que le professeur désirait et savait traduire en mécanismes efficaces et ingénieux les explications de son maître. De plus, Jeannot était le plus grand expert de l'île dans l'art difficile et compliqué de relier correctement les fils des machines pensantes et de placer les nombreux boutons et manettes dans les positions adéquates. Un jour cependant, Jeannot en eut assez de son rôle d'assistant. Il sollicita un entretien avec le professeur qui le reçut avec bienveillance. Il se doutait bien de l'objet de la visite de Jeannot.

« Maître Racine », dit Jeannot sur un ton des plus respectueux, « mes années à votre service ont été les plus instructives de toute ma vie. Avec vous, j'ai tout appris. Vilebrequins, plans inclinés, roues à aubes, leviers et poulies, je connais maintenant tout ce qu'il est possible de savoir sur la science des outils. Je maîtrise mieux que quiconque, parmi vos apprentis, l'art de dompter la force de l'eau, du vent et de la vapeur pour animer nos belles inventions. Vous savez également que je n'ai pas mon pareil pour faire fonctionner ces machines pensantes du continent qui ont la réputation justifiée d'être si rebelles. Or, je pense que le moment est venu pour moi de me faire connaître dans ce monde.»

Le professeur redoutait ce jour fatidique mais inévitable. Il avait d'ailleurs sous sa houlette d'autres élèves, moins avancés que Jeannot bien sûr, mais aussi très prometteurs. Le départ des sujets les plus compétents et les plus expérimentés faisait partie du cours normal des choses et il ne servait à rien de s'y opposer.

«Tu sais que ton départ m'attriste car je t'estimais beaucoup, non seulement comme apprenti, mais surtout comme une personne de grande valeur», répondit le professeur. «Mais tu dois suivre ta propre route et si ta raison et ton cœur te dictent de nous quitter, alors bonne chance sur le chemin où tes pas te mèneront!»

La séparation se fit avec grande effusion d'émotions et fut très touchante. Le professeur prodigua à Jeannot ses meilleurs souhaits de bonheur et de succès. Jeannot était maintenant le seul maître de sa destinée! Dès qu'il eut quitté le professeur et se vit livrer à lui-même, il fut saisi d'un tel effroi qu'il pensa un instant s'en retourner tout penaud reprendre son poste d'assistant.

«*Non!*» se dit Jeannot en essayant de se donner le courage qui lui manquait, «*mon cœur et ma raison m'ont indiqué la route à prendre. Je dois m'y engager avec résolution!*»

Et Jeannot de poursuivre son chemin. Toutefois, si la décision était prise, tous les problèmes n'étaient pas réglés pour autant. D'abord, par où commencer? Question difficile, s'il en est! Par hasard, les pas de Jeannot le guidèrent vers la grande salle de conférence du royaume où un savant en visite faisait un exposé sur un sujet inédit. Le titre de la conférence était écrit sur une grande affiche à l'entrée.

〰

« Pour avoir du succès, comblez votre client! »

〰

Jeannot ne saisissait pas bien le sens de ce titre qui s'apparentait fort à un commandement mais il entra tout de même dans la salle pour s'y reposer un peu. Debout derrière son lutrin, le volubile conférencier exposait ses idées avec conviction et éloquence. Son maigre auditoire était formé de dame Blanche, la bonne du docteur Globule, qui était entrée, elle aussi pour se reposer, et du sergent Matamore, profondément endormi. Lorsque la conférence fut terminée, Jeannot un peu déconfit, interrogea d'abord dame Blanche.

« Dame Blanche! » dit Jeannot, « entendez-vous quelque chose à ce sujet? Mais qu'est-ce que ce succès qui semble si important, si on en juge par le ton de grande conviction du distingué conférencier?

– Ah, vous savez, moi », répondit dame Blanche, toujours heureuse de faire un brin de conversation, «je m'arrête toujours ici lorsque je m'en retourne à la maison après mes courses au marché. Je n'écoute jamais les conférenciers mais je trouve que certains sont plus jolis que d'autres, par contre. Le succès, vous dites? Je n'en sais trop rien. Une autre invention des savants du continent, sans doute. Mais il me faut vous quitter car je dois préparer ma fameuse tarte aux quatre fruits dont le docteur Globule raffole. Je ne veux pas me vanter, mais on ne saurait compter toutes les vies que ma tarte a sauvées sur cette île. Le docteur Globule est un homme si heureux après avoir goûté à ce succulent dessert qu'il retourne toujours au travail en chantant! Le succès, vous disiez? Pas la moindre idée de ce dont il s'agit! Allez, au revoir, je dois rentrer maintenant!»

Jeannot, perplexe, adressa ensuite la parole au sergent Matamore qui s'étirait sur son banc et lui demanda ce qu'était le succès dont le conférencier semblait faire grand cas.

«Je n'en sais rien, j'ignore même ce mot car je dors toujours pendant les conférences. J'aime la fraîcheur de cette grande salle où on se sent si bien par les fortes chaleurs de l'été. Allez, je dois retourner faire ma ronde inutile dans cette île où tout le monde s'entend si bien que je n'ai jamais rien à faire. Le succès, vous dites? Je suis désolé mais je n'ai aucune idée de cette étrange notion. Au revoir, Jeannot!»

En garçon pratique, Jeannot décida de contourner cette première difficulté en se promettant bien d'y revenir plus tard. Il s'attaqua à la deuxième partie de la phrase que le conférencier martelait sans arrêt et qui disait qu'il fallait *combler son client*. Cette seconde injonction était au moins aussi obscure que la précédente. D'abord, qu'est-ce qu'un client et y en avait-il un sur l'île du Glacier ? Jeannot connaissait le professeur Racine, le docteur Globule, le roi Gustave, le pâtissier Moulu, etc., etc., mais personne à sa connaissance ne portait ce titre curieux. Alors, une autre phrase répétée inlassablement par le conférencier lui revint à l'esprit.

❧

« Le client a toujours raison ! »

❧

Mais qui donc, sur notre bonne île, peut prétendre avoir toujours raison ? Soudain, il s'arrêta comme s'il avait été frappé par la foudre. Il avait soudain compris !

« *Mais si, je le connais le client de l'Île du Glacier !* » se dit alors Jeannot dans un moment de grande excitation, « *c'est le philosophe Kantique dont le jugement est si certain. Le roi lui-même le répète sans cesse : " Kantique vous avez toujours raison ! " Je sais enfin par où commencer ! Je dois utiliser mes talents pour combler notre bon philosophe. Quant au sens du mot succès, je réglerai cette question plus tard car je dois me mettre à la tâche sans délai. J'ai déjà perdu trop de temps!* »

Et Jeannot de frapper à la porte de maître Kantique qui le reçut cordialement. Il essaya de comprendre quelque chose à ce que lui racontait Jeannot mais son esprit était ailleurs. Il n'avait toujours pas réussi à saisir le fameux chemin que l'explorateur Jacques avait découvert en revenant à son point de départ en passant par l'horizon. Absorbé dans son problème, il lança fort malheureusement, et contrairement à ses habitudes, une idée sans trop réfléchir.

« Une machine pour me combler ? C'est bien ce que vous dites, Jeannot ? » continua distraitement le philosophe. « Attendez, attendez. À défaut de me combler, je pense à un mécanisme qui pourrait certainement m'être utile. Vous savez que je dois me lever et marcher dans les rayons de notre grande bibliothèque lorsque j'ai besoin de consulter un volume. Plus nos connaissances augmentent, plus ces déplacements deviennent longs et fatigants. Peut-être pourriez-vous imaginer une ingénieuse combinaison de leviers, de roulettes et de machines pensantes qui m'épargnerait cet effort ? »

Jeannot était emballé à l'idée de combler le client de l'île du Glacier qui ne pouvait être personne d'autre que ce grand philosophe qui avait toujours raison. D'abord, il devait savoir comment celui-ci procédait pour choisir, localiser et s'emparer du volume qu'il souhaitait consulter. Le philosophe Kantique n'avait aucune notion des machines et son esprit était manifestement autre part. La conversation entre Jeannot et le client de l'île tourna rapidement au dialogue de sourds.

« Comment je procède pour trouver un volume ? » dit le philosophe qui regrettait de plus en plus sa décision de s'être prêté à ce jeu. Je n'en sais trop rien, laissez-moi y penser. Oui, c'est cela ! D'abord, je réfléchis à quelque chose et l'idée me vient qu'un savant confrère de mes connaissances a écrit un livre sur le sujet. Comme je connais par cœur l'emplacement de tous les volumes dans ma bibliothèque, je me lève et je vais le chercher ! Est-ce que cela vous aide, mon cher Jeannot ? »

Jeannot était atterré ! Comment construire une machine avec de telles indications ? Ah ! que la vie était plus aisée comme apprenti du professeur Racine ! Le professeur savait comment expliquer ce qu'il voulait dans un langage que lui, Jeannot, pouvait comprendre. Mais il n'était pas question de revenir en arrière. Il se mit donc résolument au travail.

Quelques jours plus tard, l'inventeur se présenta chez maître Kantique avec un premier exemplaire de sa machine. Ce dernier, qui avait déjà effacé toute l'affaire de son esprit, dut faire un effort pour saisir l'objet de la présence chez lui de la chose la plus insolite qu'il n'avait jamais eue sous les yeux. Jeannot essaya d'en décrire le fonctionnement au philosophe qui n'écoutait manifestement pas un traître mot de ce que lui disait l'inventeur. Jeannot laissa la machine derrière lui pour que Kantique puisse en faire l'essai pendant quelques jours.

L'affaire tourna rapidement au désastre. Le philosophe était aussi peu doué pour l'usage des machines que pour expliquer ce qu'il attendait d'elles. Il n'arrivait jamais à placer les boutons et les manettes de la machine pensante, qui contrôlait les mécanismes, dans les positions appropriées. En quelques heures seulement, toute la bibliothèque du philosophe fut sens dessus dessous. Il se produisit alors quelque chose d'inimaginable. Le grand philosophe Kantique lui-même, ce maître de toutes les choses du cœur et de l'esprit, s'emporta! On entendit un grand fracas venant de la bibliothèque royale accompagné d'un rugissement terrible :

« C'est un comble! » vociférera la voix courroucée qui porta dans toute l'île.

Au même moment, on vit un assemblage en piteux état de leviers, de manettes et de fils de machines pensantes défaits, qui volait par la fenêtre de la grande bibliothèque! Jeannot accourut rapidement sur les lieux mais ne put que constater l'étendue du malheur. Tout ceci ne correspondait sûrement pas aux belles idées exposées par le conférencier. Et Jeannot de se confondre en excuses pour tous les dégâts causés par sa machine. Le philosophe retrouva rapidement ses esprits et sut reconnaître qu'il était le premier responsable de son malheur car il n'avait pas assez réfléchi aux tenants et aux aboutissants de ce projet si important pour Jeannot.

«Cher Jeannot», dit Kantique quand la tempête se fut un peu calmée, «je crains de n'avoir pas suffisamment de connaissances des machines pour t'aider dans ta démarche. Mais peut-être puis-je t'épauler d'une autre manière. Si cela est en mon pouvoir et selon mes moyens, je me ferai un plaisir de le faire.

– Je vous remercie infiniment de ne pas me tenir rigueur du désordre dans lequel se trouve maintenant votre précieuse bibliothèque», répondit Jeannot, «mais je dois me mettre à la recherche d'un autre client, c'est-à-dire de quelqu'un qui, comme vous, a toujours raison. Mais c'est impossible, car vous êtes le seul sur cette île qui ne se trompe jamais!

– Allons, Jeannot!» répondit Kantique d'un ton bienveillant, «cette dernière mésaventure devrait te démontrer que je ne suis pas infaillible. Si tu éprouves le désir de combler quelqu'un qui a très souvent raison, pourquoi n'irais-tu pas voir maître Routinier, le grand administrateur du royaume? Il suffit de regarder comment tout marche à merveille dans l'île du Glacier pour conclure que maître Routinier doit avoir raison la plupart du temps.»

À ces mots, l'espoir se mit à renaître dans le cœur meurtri de Jeannot. Il se précipita chez le grand administrateur et essaya de lui expliquer le plus clairement possible l'objet de sa démarche. Maître Routinier était un peu perplexe quant à cet empressement soudain de Jeannot de le «combler» d'une machine. Mais ce cher Routinier était un homme de cœur et il comprit le sens de la visite de ce brave garçon.

«Mon bon Jeannot», dit Routinier, «pourquoi n'irais-tu pas voir madame Clavier et lui proposer tes services? Son travail est très exigeant et peut-être sera-t-elle heureuse, pardon je veux dire "comblée", d'obtenir de l'aide d'une machine de ta fabrication.»

Malheureusement, un scénario semblable à celui qui s'était produit chez Kantique se répéta dans la grande salle du courrier du royaume. D'abord, madame Clavier reçut Jeannot plus que sèchement. Elle régnait dans son propre royaume où tout fonctionnait au doigt et à l'œil, et elle ne voyait pas comment une machine pourrait la seconder dans son travail. Elle était même plutôt insultée qu'on ait pu songer à pareille possibilité. En fin de compte, puisque Jeannot lui était envoyé par maître Routinier en personne, elle obtempéra sans toutefois y mettre plus de bonne volonté qu'il ne fallait.

« Décrivez-moi ce que vous faites », lui demanda Jeannot poliment, « afin que je puisse concevoir une machine qui vous comblera.

– Jeune homme », répondit froidement madame Clavier, « je n'ai pas de temps à perdre en vaines palabres. Le service du royaume n'attend pas! Asseyez-vous ici et observez-moi bien! Vous comprendrez alors la nature de ma tâche si tel est votre souhait. »

Jeannot trouva un poste d'observation discret et attendit. Un messager arriva transportant un sac plein de suggestions, de litiges à régler, de requêtes, ainsi que de quelques plaintes. Le spectacle auquel il assista alors lui coupa le souffle. Madame Clavier s'empara du sac et traita chaque enveloppe avec des gestes si rapides et si précis qu'il lui était impossible de rien distinguer. C'était comme si chacun des doigts de cette efficace personne avait été animé d'une vie propre.

En effet, à une vitesse extraordinaire, toutes les enveloppes étaient décachetées et vidées de leur contenu qui était ensuite lu, trié et classé. Madame Clavier tapait ensuite, pour chaque lettre, une brève réponse. Ses doigts couraient si vite sur la machine à écrire que Jeannot en était ébloui. Chaque lettre ainsi écrite était à son tour placée dans une enveloppe neuve, adressée, estampillée et classée en fonction de sa destination, toujours avec la même dextérité phénoménale !

« Vous avez vu jeune homme ! dit la dame avec une note d'amour-propre bien justifiée dans la voix, vous savez maintenant comment nous accomplissons notre travail ici ! À votre tour de faire le vôtre ! »

Jeannot était encore plus pétrifié que lors de sa rencontre avec Kantique. Comment faire une machine capable d'égaler la terrifiante efficacité de madame Clavier ? Il se mit néanmoins au travail et, ce qui devait arriver arriva. La seconde invention de Jeannot fut, comme la première, une catastrophe retentissante. La dernière fois que l'administration du royaume avait été aussi perturbée, c'était lors du bref passage de Maryse elle-même dans la position maintenant occupée par madame Clavier. Cette dernière menaça de démissionner si on n'enlevait pas immédiatement de la salle du courrier « cette horrible chose » qui la gênait tant dans son travail. Son souhait fut exaucé séance tenante.

Après ce deuxième échec, le cœur du garçon se remplit des lourds nuages noirs de l'amertume et du ressentiment. Il erra dans la ville pendant plusieurs jours en se parlant à lui-même à voix haute et il cessa de répondre quand on le saluait, lui le garçon d'un naturel si gentil et si avenant. À l'occasion, ses pas le menaient près de la même falaise où ce malheureux LaForce avait trouvé une si triste fin.

En fait, lorsqu'il arrivait à cet endroit, il constatait invariablement la présence d'un animal insolite, un petit mouton tout blanc, qui lui jetait un regard rempli de douceur et de compréhension. Il semblait s'interposer entre Jeannot et le sommet de la falaise. Le regard du mouton avait le don de mettre un baume sur ses blessures encore vives et il changeait alors de direction. Un jour, alors que ses pas le conduisaient de nouveau vers ce même endroit, il adressa la parole à l'animal.

«Bonjour, petit mouton», dit Jeannot, «mais pourquoi te retrouves-tu toujours sur mes pas et toujours à ce même endroit? Tu vois bien que je suis triste et malheureux sur ce glacier égaré au milieu de nulle part! Ah! ces vilains insulaires,

Kantique et tous les autres, ce sont bien tous les mêmes! Ces tristes personnages prétendent avoir toujours raison mais ils ne sont jamais contents! Mais toi, petit animal, que me veux-tu donc?»

Comme nous le savons maintenant, les animaux magiques sont très sages. Ils ne vous adressent jamais la parole en premier. Mais lorsqu'on leur pose une question, ils se font un plaisir et un devoir d'y répondre.

«Puisque tu m'adresses la parole», répondit le mouton Boris, car c'était bien de lui dont il s'agissait, «je me ferai un plaisir de te donner une réponse et de parler un peu avec toi!»

Jeannot en demeura bouche bée, car il ignorait tout de la présence de ces animaux magiques sur l'île. Le mouton continua.

«D'abord, je dois reconnaître que Kantique n'a pas été à la hauteur de la tâche avec toi», admit le mouton. «Mais que veux-tu? Cet aimable penseur n'a aucun sens des machines. Je crains fort qu'il soit trop tard maintenant pour le changer. Mais soyons justes car n'a-t-il pas convenu avec toi qu'il n'était pas infaillible? Allons, cesse de ruminer de sombres desseins envers les autres, mais surtout contre toi-même!»

Jeannot, remis de sa surprise, lui répondit.

«Je comprends ce que tu essaies de me dire, gentil mouton, car je ne suis pas un sot! Mais que faire maintenant? Je ne peux retourner chez le professeur car je n'ai plus rien à apprendre là-bas. Et lorsque j'essaie de faire comme l'éminent conférencier nous enseigne, non seulement je ne comble personne mais je me mets à dos tout le monde!

– Dis-moi, Jeannot», reprit le mouton sans répondre directement au garçon. «Ne nourris-tu pas le projet secret de construire un joli voilier pour parcourir les mers?

– Ah! mais comment sais-tu cela, toi?» répondit Jeannot surpris, car jamais il ne s'était ouvert à quiconque de cette secrète pensée. Bien sûr, c'est même le projet le plus cher à mon cœur. Dans mes moments de loisir, lorsque j'étais apprenti du professeur Racine, je l'ai conçu en songe jusque dans les moindres détails. Matériaux, surface de voilure, déplacement, maître bau et tirant d'eau, tout est gravé ici dans ma tête!» continua Jeannot en pointant de son index une tête bien faite et qui semblait aussi fort bien remplie.

Jeannot était maintenant transporté et expliquait au mouton comment son joli navire se distinguerait de tous les autres qu'on avait vus dans l'île du Glacier ou sur le continent. Il savait où les cabines seraient disposées et comment elles seraient aménagées pour que le voyage soit le plus agréable possible. Il savait enfin de quelle manière il allait mettre à profit sa connaissance des machines pensantes pour retrouver partout son chemin à l'égal de Jacques l'explorateur.

Le rusé mouton Boris sauta sur l'occasion et lui fit cette suggestion.

« Mais alors ! » dit Boris avec une lueur d'astuce dans le regard qui échappa à Jeannot, tout peut s'arranger très facilement. Construis ce bateau puisqu'il s'agit d'un projet si important pour toi. Et puis, lorsqu'il sera terminé, tu pourras voguer vers une terre d'asile où ton talent sera enfin reconnu !

– Mais oui ! » répondit Jeannot, trop heureux de trouver un nouveau motif pour reprendre ses activités, « non seulement je réaliserai mon rêve mais qui plus est, je m'échapperai de cette méchante île qui ne m'aime pas ! »

Et il entreprit immédiatement la réalisation de son projet. Pendant plusieurs jours, on entendit les signes d'une fébrile activité autour de la maison de Jeannot. On le voyait à l'occasion à la place du marché lorsqu'il avait besoin de se procurer matériaux et outils. Autrement, c'était comme s'il avait déjà entrepris le long voyage qu'il projetait de faire lorsque son bateau serait terminé.

Un beau matin, le pâtissier Moulu, alors qu'il se rendait chez le docteur Globule pour une indisposition d'estomac, remarqua quelque chose de nouveau dans la cour de la maison de Jeannot. Un joli petit navire tout coquet était en train de prendre forme !

« Ah bonjour Jeannot ! » lança joyeusement Moulu, « mais c'est bien joli ce que vous faites là. Est-ce que je pourrais voir votre navire de plus près ? »

Jeannot, devenu très froid avec ses voisins de l'île qu'il feignait maintenant d'ignorer, maugréa que cela lui était bien égal. Le pâtissier ne prêta pas attention à l'humeur de l'inventeur et s'intéressa plutôt à son œuvre. Il montra un grand intérêt et posa plusieurs questions qui prouvaient qu'il était connaisseur. Jeannot, comme toujours lorsqu'on lui parlait de son navire, retrouva sa bonne humeur et en expliqua tous les détails et toutes les innovations. Il passa en revue le bâtiment, de la poupe à la proue, sans rien négliger, décrivant d'abord l'étrave, le franc-bord, la coque et le plat-bord, et il ne s'arrêta que lorsqu'il en eut terminé avec tout le gréement.

«Dites-moi Jeannot», demanda Moulu qui semblait réfléchir à quelque chose, «avez-vous pensé aux provisions que vous emporterez pendant votre long voyage?»

Et Jeannot fut bien forcé d'admettre qu'il n'avait pas encore envisagé cet aspect de son projet. Le pâtissier lui fit cette proposition :

«Pourquoi ne pas remettre votre départ le temps de construire, pour ma famille et moi-même, une embarcation aussi jolie que celle que j'ai sous les yeux?», suggéra le pâtissier. «En échange, je vous fournirai victuailles, farine et bon pain en quantité suffisante pour tout le temps que durera votre projet et votre séjour dans les pays où votre talent sera enfin apprécié!»

Le marché fut conclu immédiatement. Le pâtissier Moulu était bien fier de son acquisition. Il en parla au docteur Globule pendant sa consultation, bien inutile d'ailleurs, car ses maux gastriques s'étaient évanouis. Le docteur Globule manifesta un vif intérêt et, le soir même, se rendit chez Jeannot.

«Le pâtissier Moulu m'a beaucoup vanté la qualité de ces jolis petits navires que vous construisez avec tant de talent, de soin et d'amour», dit Globule. «Pourriez-vous m'en parler davantage?»

Le regard de Jeannot s'illumina immédiatement car on abordait là son sujet favori. Il attira l'attention de Globule sur le souci du détail, la qualité de la finition, le soin apporté au choix des matériaux et des jolies couleurs. Globule lui demanda alors :

« Dites-moi, Jeannot, avez-vous envisagé la possibilité de vous blesser ou de tomber malade pendant que vous serez en route vers ce pays où votre réelle valeur sera finalement consacrée ? »

Encore une fois, Jeannot admit qu'il n'avait rien prévu en ce sens.

« Si vous remettez votre départ le temps nécessaire à la fabrication d'un autre joli navire comme celui-ci, pour madame Globule et moi-même », dit le docteur, « je démontrerai ma reconnaissance en vous fournissant sirops, onguents et remèdes qui vous protégeront de toutes maladies pendant votre périple et votre séjour dans cette terre promise qui attend sûrement votre arrivée avec impatience. »

Jeannot jugea la proposition avantageuse et l'accepta. Bientôt, on afflua de toute l'île pour voir le navire en construction, pour persuader l'inventeur d'ajourner son départ et lui proposer un marché. Le roi Gustave lui-même se présenta en personne et promit une belle récompense. La seule condition qu'il exigea fut que son navire soit un peu plus grand et un peu plus remarquable que tous les autres. Il était le roi de l'île du Glacier, après tout !

Les semaines, les mois, puis les années se sont écoulées depuis la conversation entre l'industrieux garçon et le sagace mouton Boris. Jeannot n'est toujours pas parti car le navire de ses rêves – qui sert de modèle à tous les autres qu'il construit – n'est pas encore achevé. Mais chaque nouveau bateau qu'il fabrique pour un habitant de l'île du Glacier ressemble davantage à ce voilier idéal qui prendra la mer un jour. Il s'est entouré de quelques assistants passionnés, comme lui, de voiles et de machines. Il croule sous les gâteaux, les onguents et sous toute une panoplie de tous les bons produits de l'île du Glacier et du continent qu'il n'en sait que faire !

En outre, lorsqu'il va au marché, la jolie Eugénie lui lance de doux regards et il nourrit le projet insensé de l'inviter à faire une promenade au clair de lune. Qui sait ? peut-être acceptera-t-elle. Et sans relâche, il travaille en imagination à son navire idéal, et dans son atelier, il s'ingénie à réaliser celui qui s'en rapproche le plus.

Un beau jour, alors qu'il mettait la dernière main à l'un de ses jolis bateaux, Jeannot médita une nouvelle fois la phrase du distingué conférencier qui le rendait si perplexe. Il se souvint alors que le ton et la manière de celui-ci rappelaient étrangement ceux de maître Silogue, de triste mémoire.

Mais qu'est-ce donc que cette chose qu'on appelle le *succès*? Et existe-t-il un de ces êtres chimériques, sur cette île ou dans l'univers entier, qui a toujours raison et qu'on appelle *client*? Et il comprit enfin le motif des exhortations continuelles de maître Kantique de toujours chercher la vérité dans son cœur et sa raison, et de prendre garde «aux mots vides de sens».

Le roi Gustave veut apprendre un métier

L'île du Glacier était une île choyée où le bonheur régnait le plus souvent en maître. Cet état de fait n'était bien sûr pas étranger à la sage façon de gouverner du bon roi Gustave. Cet homme de mérite possédait une faculté qui le démarquait de tous ses concitoyens et qui le prédisposait incontestablement à la fonction qu'il occupait : il savait décider ! De plus, la nature l'avait pourvu des attributs physiques auxquels on s'attendait d'une personne qui, en raison de sa fonction, devait se faire obéir.

Vraiment, le roi était de belle taille. Son port majestueux et ce soupçon de bonhomie dans les manières, voilà qui n'était pas sans inspirer confiance. En outre, son regard brillait de cette lueur non équivoque qui annonçait à tous qu'il était capable de se mettre en colère s'il le fallait. Quoi qu'on en dise, c'est bien utile à l'occasion pour un roi de pouvoir se mettre en colère ! Mais de mémoire d'habitant de l'île du Glacier, on ne se souvenait pas de l'avoir vu très souvent perdre ainsi son sang-froid.

Sa dernière colère remontait à ce jour malheureux où l'une de ses royales orteils s'était écrasée contre un pied de sa table de chevet, un matin où les brumes du sommeil avaient mis plus de temps que de coutume à se dissiper ! Cependant, dans l'exercice du pouvoir, personne ne pouvait se remémorer exactement quand avait eu lieu son dernier emportement, mais au fond, était-ce si important ? Tout le monde savait que le roi Gustave pouvait lui aussi piquer une sainte colère si on l'y poussait, et cela suffisait pour les besoins de son gouvernement.

En fait, Gustave ne régnait pas vraiment sur ces sujets. C'est plutôt eux qui avaient convenu spontanément de se décharger sur lui de la peine de régler les affaires d'intérêts communs. On le disait habile en cette matière. Pour la gestion courante du royaume, il s'en remettait entièrement à son grand administrateur, maître Routinier, de qui il pouvait escompter une loyauté absolue.

Bien entendu, il lui revenait de régler les questions dont l'importance et la portée étaient de nature à bousculer l'ordre habituel des choses dans l'île du Glacier. Il convient toutefois d'ajouter ici qu'il portait ce fardeau sans grande peine pour lui-même. Il tranchait rapidement toutes les questions qui lui étaient soumises et tous s'entendaient pour dire que ses jugements étaient la plupart du temps justes et conséquents. Non seulement le roi Gustave possédait-il le discernement nécessaire pour arriver à une résolution éclairée, mais il avait également le caractère qu'il fallait pour la rendre exécutoire.

Bien sûr, il lui arrivait d'errer à l'occasion mais il considérait que cela était inhérent à l'acte de décider. Quand on lui faisait la démonstration d'une erreur, il renversait sans mauvaise grâce aucune le décret fautif, si cela était faisable. Sinon, il s'était réconcilié avec l'idée que toute décision rendue coexiste avec la possibilité de s'être trompé. Il était préférable, selon Gustave, de prendre une mauvaise décision de bonne foi, quitte à la corriger ensuite, que de demeurer paralysé éternellement par la crainte de faire erreur. La responsabilité d'assumer ses propres méprises ne troublait en rien son sommeil, qu'on disait aussi profond et régulier que celui d'un enfant – autre qualité importante dans l'exercice de la royauté !

Pour l'aider dans sa tâche, il pouvait compter sur son fidèle conseiller, le philosophe Kantique qui, comme on le sait, prenait toujours place à sa droite aux rares séances du Conseil de l'île du Glacier. Mais personne ne s'y trompait. C'est lui qui régnait et personne d'autre. Kantique exposait l'affaire avec la clarté et l'éloquence qu'on lui connaît bien ; le roi délibérait le temps qu'il fallait et rendait ensuite la sentence. La cause était alors entendue.

Enfin, il existait sur l'île du Glacier une grande tradition dont Gustave était le plus ardent défenseur : nulle personne ne pouvait être contrainte de faire telle ou telle chose si celle-ci allait à l'encontre du choix de son cœur et de sa raison. Malheur à quiconque oserait enfreindre cette règle d'or sous le règne du roi Gustave !

Cependant, bien que la tâche de régner était pour lui aisée et plutôt agréable, le roi Gustave, au fond de son cœur, se sentait bien malheureux. Il aurait voulu faire un vrai métier, comme la plupart des autres habitants de l'île, et contribuer ainsi concrètement au bonheur et à la prospérité générale. «*Gouverner, résoudre, rendre des sentences, des arrêts et des jugements, promulguer des lois, des décrets et des ordonnances, c'est bien beau tout cela, mais ça ne produit rien de matériel, de concret et de tangible*», se disait le roi fort affligé. «*Toute l'énergie que nous déployons à faire ces exercices de gouvernement pourrait être avantageusement employée d'une manière pratique à accroître encore davantage le bien-être de notre peuple*», se disait encore ce singulier monarque.

De plus, tout allait si bien maintenant que les occasions d'intervenir se faisaient toujours plus rares! La machine administrative de maître Routinier était fort bien huilée, même si elle avait connu récemment quelques soubresauts dont nous connaissons l'origine. Elle fonctionnait de son propre élan sans qu'aucune intervention de la part du roi soit nécessaire, ni même souhaitable d'ailleurs.

D'autre part, en plus de se sentir improductif, le roi s'ennuyait! Alors, il entreprenait une grande tournée de l'île pour visiter ses sujets et amis. Et plus il avançait dans sa visite, plus il se désolait de se sentir simple spectateur devant toute cette belle activité qui s'accomplissait sous ses yeux. Il s'arrêta devant une grande machine à irriguer le sol à laquelle s'affairaient le professeur Racine et quelques-uns de ses assistants. Comme ils semblaient tous avoir tellement de plaisir à faire fonctionner cette merveille d'ingéniosité qu'ils connaissaient jusque dans les moindres détails! Ils se parlaient dans un langage qui lui était inintelligible et qu'il aurait tellement voulu comprendre afin de pouvoir participer et aider lui aussi.

Naturellement, la présence inopinée du roi sur les lieux de travail, où on ne s'attendait guère à le trouver, causait toujours une grande émotion. Tous étaient bien sûr heureux de l'avoir aperçu et d'avoir pu converser un peu avec lui. Parfois, le roi se proposait pour mettre lui aussi l'épaule à la roue. On lui faisait alors comprendre poliment que sa contribution ne pouvait être utile puisqu'il ignorait tout du métier pratiqué par les gens qu'il s'offrait d'aider.

Cependant, partout où il passait, l'entrain renaissait et le travail s'effectuait en chantant sur son passage. Lorsque le roi faisait sa grande marche dans l'île pour saluer ses amis, on avait l'impression que même les machines du professeur Racine augmentaient leur régime. Le marché se remplissait alors davantage de produits et de denrées de toutes sortes, ce qui contribuait encore davantage à la bonne humeur générale. Mais le roi ne ressentait, lui, que sa propre incapacité à prendre une part active à la besogne qui s'abattait sans lui et cela le chagrinait.

Alors, il se mit en tête qu'il ne voulait plus être roi! Il souhaitait être un sujet parmi les autres et apprendre lui aussi un véritable métier! Les produits fabriqués de ses propres mains se retrouveraient avec ceux des autres au marché. Il pourrait ainsi se prouver à lui-même et à tous qu'il pouvait contribuer à l'effort commun. Le soir même, il alla trouver Kantique pour l'informer de sa décision. Son conseiller, fort surpris, ne put que se résoudre à accepter le choix de son ami puisque la règle d'or de l'île du Glacier était formelle. Et cette règle s'appliquait au roi également!

L'île du Glacier tout entière fut bien chagrinée lorsque la nouvelle se répandit mais tous se devaient de respecter ce choix. Comme le roi avait pour principale fonction de présider aux séances du Conseil, qui étaient peu fréquentes, on convint de laisser la succession vacante pour l'instant. Il fallait trouver quelqu'un d'autre d'aussi doué que Gustave pour régner, ce qui n'était pas chose aisée. Pendant quelque temps, le poste demeura inoccupé et les choses poursuivirent leur cours normal sans que rien n'y paraisse. L'administration du royaume, entre les mains expertes de maître Routinier, fonctionnait toujours sans accroc. Cette continuité conforta le roi dans sa décision et démontrait encore une fois que son jugement ne l'avait pas trahi!

Heureux de constater que l'île du Glacier continuait à prospérer même en son absence à la tête du Conseil, Gustave aborda alors la seconde partie de son projet. «*Cette belle productivité*», se disait-il, «*y gagnerait encore davantage par l'arrivée d'un nouveau participant en pleine santé, vigoureux et rempli de la meilleure des volontés, c'est-à-dire moi-même!*» Il pouvait maintenant se consacrer à l'apprentissage d'un vrai métier où il pourrait enfin faire quelque chose de concret et de bien tangible. C'est alors qu'une idée le frappa. Quoi de plus concret et de plus tangible que le bon pain et les bonnes pâtisseries dont nous nous régalons tous les jours?

«*C'est décidé, j'irai voir ce bon Moulu et je lui demanderai de me prendre comme l'un de ses assistants*», se dit Gustave. «*Ah! que j'ai hâte d'avoir enfin un vrai métier!*»

Lorsqu'il arriva à la boutique de Moulu, ce dernier commença d'abord par le saluer à l'ancienne manière, car les vieilles habitudes sont toujours longues à changer.

«Bonjour, roi Gustave. Oh! excusez-moi! Bonjour, ami Gustave!» salua chaleureusement le pâtissier, un peu surpris toutefois par cette présence inattendue.

– Bonjour, ami Moulu!» dit Gustave en entrant dans la boutique du pâtissier où il entreprit immédiatement d'expliquer le motif de sa visite. Ce n'est pas en tant que client que je me présente ici aujourd'hui! Je viens vous offrir mes services car je désire être votre apprenti. Je souhaite sortir de ma royale oisiveté et contribuer enfin concrètement au bonheur et à la prospérité de cette île en mettant moi-même la main à la pâte!»

Le pâtissier, dont le solide bon sens ne pouvait admettre pareille absurdité, crut à une bonne blague et éclata d'un rire sonore et joyeux!

«Ah! mon bon Gustave!» répondit Moulu, «même si vous n'êtes plus notre roi, vous savez encore semer la bonne humeur partout où vous allez. Qu'est-ce que je vous sers aujourd'hui, mon ami? Quelques miches de notre bon pain dont je sais que vous raffolez ainsi que quelques brioches succulentes, le tout bien chaud et sortant tout droit de nos fourneaux!»

Alors Gustave essaya d'expliquer son projet une nouvelle fois. La réaction fut la même sauf que les rires redoublèrent d'intensité.

«Ah! comme vous nous faites bien rire aujourd'hui, cher Gustave!» répondit Moulu qui en avait les larmes aux yeux. «Madame Moulu, venez rencontrer notre nouvel apprenti!» lança-t-il en se tournant vers son épouse qui tenait toujours boutique en sa compagnie. «Tenez, mon ami!» continua le pâtissier en lui tendant son pain et ses brioches d'une main agitée de soubresauts d'hilarité incontrôlée. «Aujourd'hui, c'est gratuit pour vous parce que nous avons bien rigolé grâce à votre visite!»

Le roi sortit avec son bagage de la boutique où tous les témoins de la scène, maître Moulu, madame Moulu, leurs aides et quelques clients, riaient encore à gorge déployée de la bonne blague de l'ancien roi. Partout où il se présentait pour offrir ses services afin de participer d'une manière pratique et concrète, ainsi qu'il le disait lui-même, à la prospérité de l'île, une scène semblable se répétait. Il était d'abord accueilli par des regards d'incrédulité suivis, tout de suite après, par un accès d'hilarité bruyante et épidémique qui mettait fin à toute l'affaire.

Cette tournée de Gustave fut sans doute celle qui contribua le plus à rehausser encore davantage l'excellent moral des insulaires. Tout le monde prit grand plaisir à son travail cette journée-là. Même les machines du professeur Racine semblaient sensibles à cette bonne humeur communicative et se mirent à tourner à une cadence accélérée. Le lendemain, la place du marché croula sous l'abondance des biens et denrées de toutes sortes qui avaient été produits en si grande quantité la veille dans le sillage de l'ex-roi Gustave. Jamais ce dernier n'avait tant contribué à la prospérité de ses anciens sujets, et ce, sans qu'on lui eut donné l'occasion de toucher à quoi que ce soit!

Toutefois, cette joie fut de bien courte durée. Gustave était en effet très vexé que l'on n'ait pas accédé à son souhait de le laisser participer aux activités productrices de son ancien royaume. En effet, cet étonnant désir était, il convient de le rappeler, le motif premier de sa non moins étonnante abdication. Il faut avouer, à la décharge de ses amis, que de toutes les raisons de déposer sa couronne, celle de leur ancien roi était de loin la plus insolite! La réelle oisiveté, maintenant forcée, de l'ex-monarque ne tarda pas à produire de singuliers effets sur son caractère.

En peu de temps, il commença à manifester plusieurs défauts et travers qu'on ne lui connaissait pas jusqu'à maintenant. Ainsi, cette petite pointe d'amour-propre qui le servait si bien alors qu'il était roi se mit à enfler démesurément. Sans doute par manque d'exercice dans une arène appropriée, son royal orgueil se boursoufla pour emprunter les dehors d'une insupportable fatuité. Il passait désormais le plus clair de son temps à se pavaner dans son voilier. Il profitait de chaque rencontre pour tirer une grande satisfaction, maintenant déplacée puisqu'il n'était plus le roi, du fait que son propre bateau était un peu plus grand et un peu plus remarquable que tous les autres.

En somme, sa vanité et sa suffisance devinrent si désagréables pour tous que, s'il avait été roi à ce moment-là, on l'aurait renversé sur-le-champ. Mais voilà, c'était déjà chose faite. On se contenta donc de l'ignorer. Si Gustave avait déjà éprouvé la désagréable impression de se sentir inutile, cette même impression était maintenant pleinement et entièrement justifiée.

Petit à petit, les choses changèrent sur l'île du Glacier, et pas pour le mieux. La disparition du paysage de la figure familière de l'ancien roi Gustave eut un effet certain sur l'ardeur et le moral au travail. Mais l'affaire la plus grave, qui allait mener l'île entière au bord du gouffre, survint un peu plus tard et présentait au début un caractère bien anodin.

En effet, les grands chantiers maritimes de l'île du Glacier venaient de terminer la construction d'un beau navire de commerce pour faciliter les échanges toujours grandissants avec le continent. Les voyages, les visites et les échanges étaient plus nombreux que jamais et il devenait impératif de procéder à cette addition à la capacité de la flotte marchande.

Ce navire avait été commandé par Gustave lui-même alors qu'il était en fonction. La tradition voulait que les artisans ayant construit un navire soumettent deux noms pour le baptême. C'est le roi en personne qui choisissait le plus approprié lors d'une cérémonie officielle. Les deux choix proposés pour le navire flambant neuf étaient *La Courageuse* et *L'Intrépide*. Une grande assemblée publique fut convoquée pour prendre cette importante décision.

Les insulaires se présentèrent en grand nombre car les rares séances du conseil de l'Île du Glacier constituaient un événement social très couru. Et, pour la première fois, la question ne serait pas tranchée par Gustave qui n'était plus qu'un simple citoyen. Celui-ci, par habitude, vint s'asseoir à sa place habituelle à la gauche de Kantique. Ce dernier dut lui rappeler respectueusement qu'il n'était plus le roi et qu'il devait regagner l'assistance. L'ex-roi reprit place parmi la foule en s'excusant. La réunion débuta par ce préambule de maître Kantique :

«Nous sommes ici pour choisir le nom du plus récent navire de nos chantiers afin qu'il puisse prendre la mer et ainsi nous permettre d'accroître nos échanges avec nos bons amis du continent», dit le toujours aussi posé philosophe Kantique.

Puisque nous n'avons plus de roi, nous essaierons de choisir entre nous le nom à adopter.

– Voilà qui est bien dit!» enchaîna immédiatement le volubile maître LaPlume. «J'ai moi-même visité le chantier ce matin et j'ai attentivement examiné ce fleuron de notre flotte. J'ai observé chaque détail séparément et je me suis ensuite éloigné un peu pour mieux apprécier l'ensemble. Eh bien, je vous dis que ce navire ne peut porter qu'un seul nom, et que c'est *La Courageuse* qui apparaîtra à toute personne sensée comme l'unique choix possible!

– Bravo, maître LaPlume!» entendit-on fuser de plusieurs endroits dans la salle bondée. «Ce navire sera le *La Courageuse*, c'est assurément le meilleur nom!

– Je demande la parole!» vociféra une voix énergique dans les premières rangées.

C'était le pâtissier Moulu qui entretenait toujours un peu de rivalité avec son voisin LaPlume.

L'affaire du charlatan Silogue avait laissé quelques plaies qui tardaient à se cicatriser complètement.

« Je me suis moi-même rendu dans les ateliers pendant la construction du navire car le sujet me passionne », poursuivit le pâtissier. « J'ai assisté à la fabrication de quelques éléments importants du bâtiment ainsi qu'à leur assemblage. J'ai vu, moi, ce que ce fier bateau a dans le ventre, mes amis ! Eh bien, j'affirme que ce navire doit porter le nom de *L'Intrépide* car c'est celui qui lui convient le mieux !

– Moulu a raison ! » s'exclamèrent simultanément plusieurs voix. « C'est *L'Intrépide* qui s'impose de toute évidence ! »

Les partisans de chaque nom étaient en nombre à peu près égal. Chacun tenait à son choix et personne ne concevait qu'on puisse y préférer l'autre. Un grand tumulte éclata dans la salle mais malheureusement Gustave n'était plus présent sur son siège royal pour ramener l'assemblée au calme et à la raison. Maître Kantique savait conseiller mais il ne maîtrisait par l'art d'en imposer aux foules. Ses gestes et paroles, réservés, réfléchis et toujours bien mesurés, demeurèrent sans effet. De plus, le philosophe n'était pas très doué pour trancher ce genre de dilemme.

Bien entendu, fidèle à sa manière de traiter les affaires, il avait écrit un long et savant mémoire qui décrivait en détail les avantages et les inconvénients de chacun des noms. Il était persuadé qu'un tel mémoire allait faciliter la décision et il s'était donné énormément de mal dans cette entreprise. Sa rédaction ne s'était d'ailleurs pas faite sans peine car l'aimable penseur constata, après une première consultation dans le grand dictionnaire de la langue du royaume, que les deux termes étaient à peu près synonymes. En tout cas, ils l'étaient dans la plupart des emplois les plus courants. En effet, pour le premier nom proposé Kantique, avait d'abord trouvé la définition suivante :

Courage : Fermeté devant le danger et la souffrance.

En consultant maintenant son dictionnaire sous la rubrique du second nom suggéré pour le navire, il trouva :

Intrépide : Qui ne tremble pas devant le péril et l'affronte sans crainte.

Bien sûr, il y avait aussi une infinité de nuances et c'est ce qui avait permis à l'érudit personnage de réaliser son volumineux travail comportant trois tomes. Mais l'assistance n'était certainement pas disposée à entendre la lecture monotone et fastidieuse du savant mémoire de maître Kantique. Surtout pas maintenant alors que l'atmosphère et les esprits étaient échauffés.

Ainsi, l'assemblée se divisa donc en deux groupes à peu près égaux : ceux qui préféraient que le navire soit nommé la *Courageuse*, à l'exclusion de tout autre nom, et ceux qui penchaient sans réserve pour *L'Intrépide*. Le tribun le plus éloquent de chaque groupe fut nommé chef *de facto*. Devant l'impossibilité de ramener les partis à la raison, et en l'absence de toute autorité légitime pour trancher l'épineuse question, l'assemblée fut ajournée. Le sergent Matamore eut grand-peine à faire évacuer les lieux.

À partir de ce moment, l'île du Glacier fut divisée en deux camps entre lesquels se développa un antagonisme toujours grandissant. Dans les ateliers, au marché et dans les maisons, on se divisa en fonction de l'allégeance à un nom ou à un autre. Le climat de l'île entière s'alourdit des nuages sombres et opaques de l'intolérance, des préjugés et des querelles de clans.

Pour tout dire, le marché se vidait de ses produits parce que les travailleurs dans les ateliers, dans les fabriques et dans les fermes s'étaient divisés en factions qui ne s'adressaient plus la parole. Les assistants du grand ingénieur du royaume, trop occupés eux aussi à se disputer, laissaient maintenant les délicats mécanismes des grandes machines sans entretien. Celles-ci se déréglaient rapidement occasionnant une multiplication de pannes et d'autres défaillances. Les choses étaient dans une impasse et rien ne permettait de penser qu'on était sur le point d'en sortir.

Les jours, les semaines et les mois s'écoulèrent sans que la question ne soit résolue. Le fier navire demeurait immobilisé car il était impensable de faire prendre la mer à un navire sans nom. Cela

aurait porté malheur au bâtiment comme à son équipage. Pendant ce temps, Gustave, indifférent à la misère que l'indécision occasionnait dans toute l'île du Glacier, continuait de se pavaner dans son beau voilier. Un jour, alors qu'il voguait vers le large avec insouciance par un bel après-midi d'été, il vit apparaître sur le rouf une petite souris qu'il n'avait pas vue monter à bord.

«Mais qui es-tu, petite souris?» dit le roi qui n'avait pas reconnu la souris magique, «et qui donc t'a invitée à bord de mon beau voilier?»

La souris Nini, puisque c'est d'elle dont il s'agissait, se fit un devoir de répondre car on lui avait adressé la parole en premier.

«Bonjour, Gustave!» répondit la petite souris d'un ton polisson. Mais je fais comme toi. Je me prélasse à ne rien faire à bord d'un navire qui ne va nulle part!»

Elle cherchait manifestement à provoquer Gustave, ce qu'elle parvint à faire sans trop de difficulté.

« Tu oses me parler sur ce ton, insolente Nini ? » répondit l'ombrageux désœuvré qui avait enfin compris à qui il avait affaire. Ne crains-tu pas mon courroux ?

– Sûrement pas ! » répondit effrontément la petite bête malicieuse. D'abord, tu ne saurais m'attraper. Tu es si maladroit que personne ne veut de toi à son service pas même comme le dernier des apprentis ! »

Cette dernière saillie piqua le roi déchu au vif car la blessure résultant de ses vaines tentatives de se faire accepter dans un métier était toujours béante. Ah oui ! il pouvait se mettre en colère ce Gustave quand on l'y poussait !

« Ah mais ! Attends que je t'attrape, vilaine Nini ! Tu vas voir ce qu'il en coûte de me provoquer ! » vociféra Gustave en se précipitant gauchement vers la bête qui esquiva l'agression sans problème.

Au même moment, un coup de vent fit tanguer le navire ce qui fit faire au bôme un vif mouvement de rotation autour de l'axe du mat. Dans son déplacement, il heurta Gustave alors que celui-ci était toujours en plein élan vers son objectif et le projeta à la mer. Il regagna à la nage son navire dans lequel il eut toutes les misères du monde à se hisser. La souris considérait la scène depuis son poste d'observation avec une évidente satisfaction. Le triple choc de l'espar, de l'eau froide et de l'humiliation semblait avoir sorti l'ancien souverain de sa torpeur, car son regard avait retrouvé sa lucidité d'autrefois.

«D'accord, Nini», concéda Gustave, «tu as gagné. Je me sentais oisif à tort auparavant alors qu'aujourd'hui, je suis un authentique fainéant dont l'inutilité n'a d'égale que la vanité! Mais que dois-je faire? J'ai abdiqué et il est trop tard pour y changer quoi que ce soit.

– Quel défaitisme!» répondit Nini en y mettant encore davantage d'insolence et de dérision. Tu as toujours eu un excellent conseiller de la raison en la personne de Kantique, ami Gustave. Toutefois celui du cœur a dû te faire cruellement défaut en ton règne puisque, par paresse et par vanité, tu choisis aujourd'hui de laisser tomber tes amis! Allez, je me retire, j'ai assez perdu de temps comme cela!»

Et la souris s'évada par un interstice entre deux planches du voilier et disparut. Gustave, tout mouillé et fort misérable, méditait déjà la suite de cette surprenante rencontre.

Pendant que cette conversation se déroulait en mer, maître Kantique faisait la queue au marché devant l'étal presque vide du poissonnier. En effet, les équipages du capitaine Martin s'étaient divisés en deux clans qui s'affrontaient sans relâche. Les prises étaient devenues bien maigres depuis le dernier Conseil de l'Île, de bien triste mémoire, lequel avait été présidé d'ailleurs par le philosophe en personne. Devant lui, un jeune garçon qui attendait en compagnie de sa mère, interrogea cette dernière sur la signification des récents événements.

«Je ne comprends pas la situation dans laquelle nous nous trouvons, madame ma mère», dit le garçon. «Depuis que nous nous querellons sur le nom à donner à ce navire, qui ne prendra sans doute jamais la mer maintenant, les éventaires, toujours remplis en abondance avant, se sont vidés comme par enchantement. Tout fonctionne au ralenti, à telle enseigne que même les machines du professeur Racine semblent s'être figées sur place! Mais pourquoi est-ce donc si important de choisir un nom pour ce vaisseau? La vie de l'île du Glacier ne retrouvera-t-elle jamais son cours habituel?»

Le philosophe reconnut un questionnement sensé et s'intéressa discrètement à la conversation. La mère répondit à son garçon en ces termes.

«Mon garçon», dit la mère à son fils, «aux grands carrefours de la vie, nous devons juger au mieux de nos moyens et faire des choix. Le jugement, et l'esprit de décision qui doit l'accompagner, sont aussi indispensables à la vie de notre bonne île que les machines du professeur Racine ou la science du docteur Globule qui guérit les malades. De plus, ce n'est pas tout de décider d'une chose. Encore faut-il joindre le geste à la parole, ce qui demande souvent une grande force de caractère. Vois tout ce que nous coûte l'indécision et retiens cette leçon pour plus tard. Vivre sans rien décider, c'est tout simplement cesser de vivre!

– Mais quel était le rôle de Gustave et pourquoi était-il si nécessaire?» demanda le garçon.

– Gustave exerçait son remarquable jugement et sa grande force de caractère en notre nom, pour décider de certaines choses à notre place, et ainsi nous aider à mieux vivre et à nous épanouir. Mais il a lui-même choisi de ne plus exercer cette fonction. Entre-temps, l'hésitation nous paralyse et la vie de l'île du Glacier s'est arrêtée!» répondit cette mère attentionnée.

– Mais alors, le roi n'a-t-il pas commis une erreur en décidant de cesser de jouer ce rôle essentiel pour nous?» demanda le garçon.

– C'est une question de cœur et de raison et lui seul peut y répondre», répondit la mère. «Nous ne pouvons approuver ou désapprouver, seulement accepter et tâcher de faire au mieux avec les moyens qui nous restent.»

Au même moment, un grand fracas se fit entendre. Le bruit entendu venait du côté du port. Une rumeur se répandit comme une traînée de poudre. Quelqu'un avait tranché les nœuds des amarres qui retenaient captif le navire dépourvu d'identité. Il voguait maintenant librement le long de la côte. Comment pouvait-on lancer un navire à la mer sans lui avoir donné un nom au préalable ? C'était un fait sans précédent !

Une foule imposante se rassembla bientôt sur le quai pour observer le navire qui traçait sa route à travers les flots. Kantique la rejoignit et se faufila parmi les premiers rangs pour observer le grand bâtiment. Il était impossible de distinguer ce qui se passait sur le pont à cette distance. Il envoya un jeune garçon chercher chez lui son long tuyau conique pour observer les objets lointains, un cadeau des continentaux. Lorsque le garçon revint avec l'instrument, il porta le bout étroit à son œil et observa. Les gens lui demandaient :

«Que vois-tu donc sur le navire?» demandait la foule curieuse et impatiente.

– Mais… mais… c'est notre bon Gustave que je vois tenant la barre!» répondit Kantique après quelques hésitations.

– Distingues-tu aussi le nom du navire?» demanda quelqu'un.

– Oui, je le vois maintenant!» s'écria le philosophe après avoir déplacé légèrement le tuyau conique.

– Mais quel est-il? Lequel des deux noms proposés a-t-il choisi?» s'impatienta la foule.

– Attendez, je ne reconnais ni l'un ni l'autre. Ah! oui! Je le discerne bien maintenant! Le nom de ce navire, c'est... c'est *La Résolue!*» répondit Kantique.

Le roi Gustave avait décidé de son propre chef, brisant ainsi avec la tradition. Kantique et tous ses amis connaissaient bien ce mot qui caractérisait si bien la personnalité du Gustave de jadis et qu'ils retrouvaient maintenant :

Résolu : Qui sait prendre hardiment une résolution et s'y tenir fermement.

Et tout le monde convint que ce nom était le meilleur choix car il avait fière allure cet élégant navire qui allait résolument son chemin avec un si bel aplomb!

À son retour sur la terre ferme, tout le monde acclamait de nouveau Gustave comme le roi de l'île du Glacier. En fait, il n'avait jamais vraiment cessé de l'être dans le cœur de ses concitoyens qui vivaient dans l'espoir d'un pareil moment. En débarquant sur le quai, son regard croisa celui de la très belle et fort élégante mademoiselle Myreille, la fille aînée du professeur Racine, qui était venue l'accueillir avec les autres. Elle tardait toujours à se marier et affirmait à tous ne vouloir jamais épouser «qu'un homme de tête».

Dès l'annonce de la nouvelle, elle s'était précipitée au quai et s'était glissée au tout premier rang. À la lueur qui s'alluma simultanément dans l'œil du roi et de la belle dame, et qui n'échappa à personne, tous les témoins de la scène surent immédiatement que Gustave ne s'ennuierait plus entre deux sentences rendues. Le roi avait enfin choisi sa reine, l'amour de sa vie, et ce conseiller du cœur qui lui avait fait tant défaut jusqu'à ce jour!

Le choix de Maryse

Nous avons déjà fait connaissance avec Maryse qui, rappelons-nous, avait dû surmonter de nombreux obstacles avant de démontrer à tous, mais surtout à elle-même, son utilité et sa valeur. On se souviendra que ses efforts avaient été finalement récompensés car elle avait produit une très grande impression sur les dignitaires du continent qui avaient assisté à sa belle narration. Cette performance remarquable de la jeune fille avait été acclamée par Kantique et le roi Gustave comme un grand fait historique en lui-même, rien de moins. L'avenir allait se charger de donner raison à nos deux clairvoyants personnages.

Un jour, un grand navire accosta sur les rivages de l'île du Glacier. Le majestueux vaisseau avait à son bord une importante délégation du continent voisin. Le chef de la délégation, dès qu'il eut mis pied à terre, réclama poliment mais avec insistance une conférence avec le roi Gustave et son Conseil, pour une affaire de la plus haute importance. Il fallut quelque temps toutefois pour rassembler le Conseil qui, comme nous le savons, ne se réunit qu'exceptionnellement et pour ne traiter que des affaires les plus graves.

Kantique était absorbé par une passion nouvelle, un jardinet qu'il avait aménagé dans la cour de la bibliothèque. Depuis qu'il s'intéressait à ce passe-temps à la suite d'une conversation anodine avec dame Blanche, la bonne du docteur Globule, il passait le plus clair de son temps les mains enfouies dans la terre jusqu'aux avant-bras. Et il semblait bien content, l'aimable penseur, lorsqu'il voyait apparaître à la saison nouvelle le fruit de son beau et patient labeur. Le roi Gustave, de son côté, voguait à bord du voilier que lui avait fabriqué Jeannot l'inventeur. Il saluait les autres heureux propriétaires de ces charmants petits bateaux, lorsqu'il les croisait :

« Bonjour à vous, monsieur et madame Globule ! Quel beau temps, n'est-ce pas ? »

Ou encore :

« Tiens, mais c'est ce cher Moulu ! Quelle belle journée pour voguer le long des côtes ! »

Et tous de retourner aimablement les salutations de leur roi. Il était bien aimé ce roi Gustave avec ses petits défauts et ses immenses qualités ! Ensuite, il fallut trouver le sergent Matamore qui devait sûrement dormir quelque part. Quelques garçons et filles serviables se lancèrent à la recherche du « service d'ordre » de l'île du Glacier. Finalement, on parvint à rassembler tout le monde qui reçut, de fort bonne humeur, la sérieuse délégation continentale.

Les distingués visiteurs furent un peu surpris par l'attitude décontractée et les vêtements peu protocolaires des membres du Conseil en ce beau jour d'été. La tenue de jardinier de Kantique, accouru à la hâte, était encore maculée de terre. Cette singulière apparition provoqua plusieurs haussements de sourcils de la part des visiteurs, et aussi quelques taquineries des insulaires, dont le philosophe ne se formalisa guère. La délégation commença alors ses représentations. Après les préambules d'usage, le porte-parole entra dans le vif du sujet.

«Comme vous le savez», continua l'émissaire avec l'emphase un peu démodée propre aux orateurs du continent, «notre pays a grandi et s'est développé en misant sur ce que nous affirmons être la ressource la plus précieuse de l'univers, et j'ai nommé :

~

«L'i-m-a-g-i-n-a-t-i-o-n!»

~

Le visiteur marqua une pause afin que tous, dans l'assistance, aient le loisir de s'imprégner pleinement de cette profonde et incontestable vérité. Comme il prêchait manifestement pour une foule de convertis, il fut instamment prié du regard par ses hôtes d'enchaîner sans s'interrompre.

«Or, nous savons», reprit le diplomate un peu déçu d'avoir manqué son effet, «que l'île du Glacier héberge une jeune fille qui possède ce don. Selon les dignitaires qui nous ont relaté sa présentation lors de leur dernière visite ici, la demoiselle Maryse, puisque c'est d'elle dont nous parlons maintenant, possède ce talent porté à un niveau d'exception. Nous sommes d'excellents juges en la matière, comme vous le savez, peut-être même meilleurs que vous ne l'êtes vous-mêmes, soit dit en toute amitié et avec respect.»

Les membres du Conseil étaient habitués à ces démonstrations de condescendance de la part des continentaux et n'y accordèrent pas plus d'importance que d'habitude. Par contre, ils devinaient la suite et une grande appréhension s'empara d'eux. Même le sergent Matamore était sorti de sa somnolence et écoutait attentivement chaque parole du chef de la délégation.

«Voici notre proposition», continua l'envoyé. «Nous sommes arrivés à bord de ce grand vaisseau que vous voyez amarré au port là-bas. Ses cales sont remplies à pleine capacité d'or et d'objets précieux que nous avons rassemblés dans le but qui m'amène ici. Nous vous offrons ce trésor, à parts égales, à Maryse elle-même et au peuple de l'île du Glacier, à la condition que cette dernière nous accompagne lors de notre voyage de retour.»

Un silence de mort tomba sur le Conseil lorsque l'émissaire eut terminé d'énoncer les termes de la proposition. Le roi Gustave lui-même demeurait sans voix. Il se ressaisit toutefois rapidement et se pencha vers sa droite pour s'entretenir brièvement avec son premier conseiller et ami, le philosophe Kantique. Il prit ensuite la parole.

«Étant donné la gravité de l'affaire», commença le roi, «nous demandons respectueusement à nos amis de nous accorder une journée de réflexion. En effet, il nous est impossible de décider quoi que ce soit sans l'avis et l'accord de la principale intéressée, Maryse elle-même. Dans l'île du Glacier, nulle personne ne peut être contrainte de faire telle ou telle chose si cela va à l'encontre du choix de son cœur et de sa raison. Il s'agit là de notre règle d'or. Demain, lorsque le soleil aura regagné la place qu'il occupe en ce moment dans le ciel, Maryse elle-même vous donnera sa réponse. Entre-temps, profitez de l'hospitalité de notre île et de ses habitants.»

Sur cette réponse, la réunion fut ajournée jusqu'au lendemain et la délégation des étrangers se retira la première. Gustave adressa alors la parole aux membres du Conseil qui se trouvaient toujours dans la salle.

«Je pense qu'il est bien inutile pour nous de demeurer ici plus longtemps car nous ne pouvons rien décider», dit Gustave. «Kantique, mon ami, allez vite trouver Maryse et vous lui expliquerez l'offre de nos amis du continent. Aidez-la, au mieux de vos capacités, à bien entendre les voix du cœur et de la raison, afin qu'elle puisse décider par elle-même du meilleur chemin à prendre!»

Et Kantique de se rendre à la maison de Maryse qu'il avait déjà visitée une fois, on s'en souviendra, en d'aussi exceptionnelles circonstances. La jeune fille fut surprise de la visite inattendue du philosophe et de sa fort curieuse tenue.

«Que vous est-il arrivé, maître Kantique?» s'exclama Maryse en l'apercevant, «vous êtes tout couvert de terre et de brindilles. Avez-vous eu un accident?

– Ah, si ce n'était que cela!» répondit Kantique d'un ton abattu qu'on ne lui connaissait pas normalement.

Et le philosophe d'expliquer à Maryse l'objet de sa visite. La jeune fille parut moins ébranlée par la nouvelle que Kantique ne l'avait anticipé. Ce qu'il lisait dans son regard, c'était surtout une grande incompréhension, comme si toute la situation relevait de l'absurde.

«Maître Kantique, voyons!» dit Maryse, «ne soyez pas si bouleversé! Vous savez bien que la perspective de faire un beau voyage dans un grand navire ne peut me rendre malheureuse, bien au contraire. Je suis surtout curieuse de connaître les motifs qui poussent les gens du continent à nous offrir un tel trésor. Après tout, l'imagination est gratuite car toutes les apparitions merveilleuses qui me viennent à l'esprit surgissent naturellement sans que je fasse quoi que ce soit!

– Je suis bien heureux que tu voies les choses ainsi», répondit Kantique dont le cœur reprenait courage. «Ta réaction est naturelle car tu es encore jeune. Toutefois, lorsque demain tu donneras ta réponse aux émissaires du continent, tu quitteras à jamais l'univers de l'enfance. Que tu décides de rester ou de partir, les circonstances et ton don exigent maintenant de toi que tu fasses un choix important.

– Maître Kantique», répondit la jeune fille, «j'avoue que d'habitude j'ai plus de facilité à vous suivre, vous dont la pensée est toujours si claire. Je vous parle de trésor et vous me répondez en me parlant d'enfance et de choix. Quel est le lien entre ces choses si différentes?»

Le philosophe garda le silence un moment pour réfléchir et il reprit.

«Regarde ce chemin qui passe devant ta maison», dit Kantique. «Si tu choisis d'aller à ta droite en franchissant le seuil de ta porte, où tes pas te mèneront-ils?

– Vers la falaise, maître Kantique», répondit Maryse, «d'où la vue est si jolie et l'air si bon à respirer!

– Maintenant, si tu choisis la gauche, à quel endroit te mènera ta course cette fois-ci?» demanda ensuite Kantique.

– Mais à la place du marché, où je vais tous les jours faire mes provisions et parler aux gens que j'y rencontre. C'est tellement agréable de se rendre au marché chaque jour!» répondit la jeune fille qui se demandait toujours où Kantique voulait en venir.

Le philosophe continua.

«Actuellement, tu peux emprunter l'un ou l'autre de ces chemins sans contrainte aucune. Il ne t'en coûte que l'effort de parvenir à ta destination, autant dire rien du tout, quand on a ton âge. Et si ce matin aujourd'hui tu te rends à la falaise, il y aura toujours demain pour aller au marché ou bien l'inverse. Maintenant, supposons que je te demande de ne plus emprunter le chemin qui va à la falaise, que me répondras-tu?

– Je dirai que vous êtes bien cruel, mon ami Kantique, car je serai privée à jamais de la vue magnifique et du bon air du large.

– Alors», dit Kantique, «nous dirons que dorénavant tu n'iras plus qu'à la falaise tandis que le chemin du marché te demeurera interdit à jamais!

– Mais c'est terrible!» dit Maryse, «si le chemin du marché m'est fermé, comment ferais-je mes provisions et par quelle route irais-je rejoindre mes amis pour nos jeux si amusants?

– Le monde des grandes personnes dans lequel tu t'apprêtes à entrer», reprit le philosophe, «est celui de tels choix déchirants et de bien d'autres renoncements plus cruels encore. Pour nous consoler de notre peine de perdre un chemin qu'il nous était agréable d'emprunter, nous avons inventé l'or. Nous tâchons de nous convaincre que sa possession est aussi agréable que ce à quoi nous avons dû renoncer. Notre raison et notre cœur nous disent haut et fort que c'est un mensonge. Malgré cela, nous persistons à nous aveugler volontairement car certaines séparations sont si difficiles et nous avons alors tellement besoin d'être consolés!

– Alors!» s'exclama Maryse, «l'arrivée de ce trésor doit correspondre à un événement infiniment triste puisque nous avons besoin d'un tel réconfort pour notre peine!

– Voilà!» dit Kantique. «Tout cet or est destiné à nous consoler de te voir nous quitter. Les continentaux, si tu acceptes leur offre, n'auront plus besoin de toute cette consolation car ils bénéficieront de ta présence et de ta vive imagination qui mettront la joie dans leur cœur!»

Pendant que la conversation se déroulait dans la maison de Maryse, la nouvelle s'était répandue dans toute l'île du Glacier comme une traînée de poudre. Les gens affluaient vers le château du roi et les cris commençaient à fuser de toutes parts.

«Maryse doit rester parmi nous!» entendait-on à droite.

– Rejetons les continentaux à la mer avec leur trésor dont nous ne saurions que faire et gardons chez nous Maryse à l'esprit si créatif!» criaient d'autres voix plus énergiques encore provenant de la gauche.

Le géant Bourru, lorsqu'il fut mis au courant de la nouvelle, accourut immédiatement vers le château du roi et offrit ses services pour rejeter le navire des visiteurs à la mer. Le sergent Matamore était dépassé par les événements.

Le roi sentit qu'il était de son devoir de calmer la foule. Il apparut donc à son balcon et s'adressa sévèrement à ses amis.

«Quels sont ces cris et ces lamentations?» s'offusqua le roi sur un ton de reproche bien senti. «Depuis quand le bon peuple de l'île du Glacier menace-t-il ses grands amis du continent? Avez-vous oublié tous les précieux services rendus du passé? Leur offre est très respectueuse et l'ampleur du trésor offert n'est que l'expression d'une bien grande détresse. Soyons généreux et tâchons de comprendre, sans juger, les motifs de leur démarche!

– Voilà qui est bien dit, notre roi!» approuva le notaire LaPlume qui avait toujours la parole facile dans les assemblées publiques. «Nous avons eu tort de nous rebiffer contre les émissaires et nous le regrettons vivement. Mais quelle décision devons-nous prendre? Devons-nous laisser nos amis du continent emmener Maryse avec eux?»

Le roi répondit.

«Je comprends votre désarroi et je le partage. Mais cette décision ne nous appartient pas. Maryse seule en décidera et elle nous fera part de sa réponse demain lorsque le soleil aura atteint la position convenue dans le ciel. Maître Kantique en personne a été chargé d'informer notre chère enfant de l'offre qui lui a été faite. En ce moment même, elle cherche dans son cœur et dans sa raison le chemin qu'elle empruntera. Rentrez chez vous et dormez paisiblement. Il n'y a rien d'autre à faire pour l'instant sinon de nous excuser auprès de nos hôtes pour le grand effroi que nous leur avons causé!»

Sur ces sages paroles, tous regagnèrent leur maison et l'île du Glacier s'endormit d'un profond sommeil.

Pendant ce temps, dans la modeste demeure de Maryse, la question la plus épineuse était finalement abordée sans détour.

«C'est un jour bien triste que celui d'aujourd'hui et je comprends maintenant la signification du trésor offert», dit Maryse. «Mais que dois-je faire? C'est une décision bien trop grave et bien trop difficile pour une jeune fille comme moi. Ah! si seulement j'avais été capable de me rendre utile chez maître Routinier ou de dompter les machines pensantes du professeur Racine, je ne serais pas maintenant devant un tel dilemme! Tant de graves enjeux me dépassent. Ne devrais-je pas demander à notre bon roi de trancher à ma place, lui dont le jugement est si sûr ?

– Ce n'est pas une décision de roi mais une décision de cœur et de raison », répondit Kantique, « et comme telle, elle ne revient qu'à toi seule. Mais permets-moi de te poser une dernière question avant de te laisser dormir. Comment imagines-tu le pays du continent ?

Alors, le regard soucieux et voilé de Maryse s'illumina comme par enchantement. Elle se leva vivement et commença à décrire avec émotion tout ce que son imagination lui inspirait. Elle riait de bonheur de voir de si belles choses, tous ces châteaux magnifiques et toutes les personnes belles et nobles qui les habitaient sûrement. Elle nommait déjà tous les amis qu'elle ne manquerait pas de se faire et décrivait les jeux qu'ils partageraient ensemble. Avec le regard des songes, ce don qu'elle possédait, elle voyait un monde féerique qui la comblait de ravissement.

L'aimable Kantique connaissait désormais le choix de Maryse.

Le lendemain, à l'heure convenue, Maryse fit connaître à tous la décision que son cœur et sa raison lui dictaient. Ce fut un bien triste moment pour tous les habitants de l'île du Glacier, aussi le roi Gustave sentit-il qu'il était temps de prendre la parole.

«Mes amis», dit le roi d'un ton solennel, «c'est un jour pénible pour nous mais nous n'avons pas le droit de gâcher le bonheur de Maryse. Je décrète trois jours de fêtes pour célébrer le début de la nouvelle existence de notre gentille amie qui entre maintenant tout à fait dans le monde des grandes personnes. Nos amis continentaux sont cordialement invités à se joindre aux festivités s'ils le désirent. Si nos hôtes acceptent, ils prendront leur départ, avec notre chère Maryse, au terme de cette grande fête.»

Bien sûr, les continentaux se firent une joie d'acquiescer avec empressement à cette aimable invitation. Puis, le grand jour arriva et Maryse s'embarqua enfin sur le grand vaisseau des continentaux, en route vers sa nouvelle destinée. On pleura son départ bien longtemps mais petit à petit la vie de l'île reprit son cours habituel.

Les semaines, les mois, puis les années passèrent. Parfois, sur la place du marché, on entendait des conversations où l'on spéculait sur les espoirs d'un retour éventuel de Maryse. Peut-être ferait-elle comme l'explorateur Jacques qui, au terme d'une longue traversée en territoires inconnus, était revenu vivre parmi son peuple? Il s'était marié, peu après son retour, avec la jolie Marie et on disait que la benjamine de la famille portait déjà la flamme de son célèbre père allumée dans son petit cœur.

Bien sûr, on avait des nouvelles de temps à autre, lorsque des gens du continent débarquaient dans l'île. Plusieurs d'entre eux se rendaient chez Jeannot pour voir son bateau inachevé, cherchaient à le convaincre de remettre son départ vers la terre promise le temps de leur en construire un et lui proposaient un marché. Décidément, ce n'était pas demain la veille que Jeannot pourrait enfin terminer son voilier et prendre la mer vers les lieux enchantés où vit cette chimère qu'on appelle le succès! Grâce à ces voyageurs, on avait ainsi des nouvelles de Maryse qui, paraît-il, était traitée à l'égale de la reine du continent, tant elle était aimée là-bas.

Un jour, un vent en provenance du continent apporta un immense ballon qui envahit le ciel. Dans la grande nacelle suspendue à son ventre se trouvait Maryse accompagnée d'une nombreuse escorte. Elle était parée en effet telle une reine et tous les membres de sa suite la traitaient avec tous les égards voués à une souveraine. Une liesse indescriptible gagna alors toute l'île du Glacier car Maryse était de retour !

Pendant trois jours et trois nuits, toutes les activités furent suspendues pour célébrer l'arrivée de Maryse et pour donner à tous et à toutes la chance de l'entendre de vive voix. On resta suspendus à ses lèvres pendant toute la narration du récit de son long séjour sur le continent qui avait toutes les allures d'un conte de fées.

On était évidemment éblouis par sa merveilleuse histoire mais une question brûlait toutes les lèvres.

«Maryse était-elle revenue pour rester?» Pourtant, elle n'en glissa pas un mot de toute sa description des événements survenus depuis son départ sur le grand vaisseau des émissaires jusqu'à son retour dans le majestueux ballon des continentaux, ni ne laissa poindre quelques regrets. On respecta donc son désir de garder le silence et personne n'eut l'inconvenance de l'interroger directement.

Lorsque l'île retourna à ses activités coutumières, Maryse, de son côté, se rendit chez maître Kantique. Ce dernier pressentait bien qu'elle ne lui faisait pas une simple visite de courtoisie. Curieux, il la laissa s'exprimer.

«Maître Kantique», dit Maryse qui n'était maintenant plus une jeune fille mais une femme épanouie, vous connaissez mon aventure sur le continent pour avoir assisté à la narration publique que j'en ai faite, en même temps que tous les autres bons habitants de l'île du Glacier. Je ne suis pas ici pour vous répéter ce que vous connaissez déjà!

– Je me doutais bien que ta visite avait un autre objet», répondit Kantique, «mais laisse-moi d'abord te dire à quel point ton bonheur nous comble de joie! Comme tu as changé depuis ce jour où, toute déconfite, tu pleurais à chaudes larmes car tu n'avais pas su te rendre utile chez maître Routinier. C'est la souris magique qui m'a guidé vers ta maison et c'est cette visite impromptue qui a bouleversé ton destin. N'oublie pas d'aller la remercier cordialement!

– Je n'y manquerai pas, maître Kantique», répondit Maryse, «je lui dois tellement, et pourtant, tout ce qu'elle a fait au fond, c'est de me consoler un peu et de guider vos pas vers ma porte. Il en faut si peu pour changer le cours d'une vie!»

Kantique acquiesça du regard et Maryse continua.

«Pendant une année entière, j'ai pleuré toutes les larmes de mon corps», commença Maryse. Comme vous aviez raison de dire qu'une montagne d'or est une piètre consolation lorsqu'on est privée de tout ce qui nous est le plus cher au monde! De plus, je me sentais tellement petite face à l'immensité de ce continent fabuleux. Au moment de mon départ, je me croyais bien imaginative car tout le monde ici vantait mes qualités par rapport à ce don. Mais la réalité de mon nouveau pays dépassait de plusieurs milliers de lieues mes rêves les plus fantaisistes et les plus grandioses! Je me sentais si minuscule et banale que ma peine d'être séparée des miens en était multipliée d'autant.

– L'imagination », interrompit Kantique, « est comme tous les autres dons que nous recevons. Pour s'épanouir, ils doivent se mesurer à l'épreuve de la réalité. Je ne pouvais pas, bien sûr, faire pencher la balance de ton cœur et de ta raison dans un sens ou dans l'autre quand tu soupesais le pour et le contre pour faire ton choix. Mais comme j'étais heureux pour toi lorsque tu as décidé de suivre les émissaires du continent ! Nous savions que tu t'épanouirais là-bas, chez nos amis, et il n'est qu'à te regarder aujourd'hui pour voir combien cet espoir était fondé. Cette pensée secrète fut notre seul véritable réconfort quand tu es partie. Mais continue ton récit, car c'est de toi dont il est question maintenant.

– Après quelque temps », enchaîna alors la jeune fille, « mon imagination, fouettée par la richesse et la variété de toutes les merveilles que mes nouveaux amis faisaient de leurs propres mains, a déployé ses ailes et s'est envolée à son tour. Alors commença pour moi une vie de conte de fées ! J'étais de nouveau acclamée et adulée. Les princes du continent, de même que ceux des autres peuples qui le visitent en grand nombre, se bousculaient pour mériter ma main. Mais vous savez tout cela parce que vous m'avez entendue le raconter depuis trois jours.

« Un jour pourtant, sans que je sache trop pourquoi, mon imagination s'est mise peu à peu à s'étioler. Les couleurs devinrent moins vives, les contours des images se firent moins nets, tandis que les sentiments qui naissaient dans mon cœur s'assombrirent pour devenir communs et vils. Alors, dans mon cœur et ma raison m'est venue l'idée de rendre visite à tous mes amis de l'île du Glacier, que je n'ai jamais oubliés, ainsi qu'à vous-même, cher Kantique !

– Nous serons toujours heureux de t'accueillir parmi nous en toutes circonstances et pour le temps qu'il te plaira », répondit l'aimable Kantique avec bienveillance, pour encourager Maryse à soulager son cœur du fardeau qu'il semblait porter.

– Alors », dit Maryse poursuivant son récit d'un regard éteint par le doute et l'angoisse, « je suis allée voir le roi du continent, un homme en tous points aussi sage et pondéré que notre bon Gustave. Il a immédiatement acquiescé à ma demande en mettant à ma disposition la magnifique montgolfière dans laquelle je suis arrivée ainsi que toute une escorte pour veiller sur moi. Avant de partir, il m'a invitée à rester dans l'île du Glacier tout le temps qu'il me plaira et à choisir ensuite la prochaine route à emprunter.

Alors Kantique réfléchit un peu et formula une question analogue à celle qu'il avait déjà posée en de semblables circonstances.

«Maryse, ma chère fille», dit Kantique, «comment vois-tu en imagination les mondes nouveaux qui s'offrent à toi si tel est ton désir?»

Et, tout comme la dernière fois, son regard voilé et tourmenté s'illumina comme par magie. Maryse se leva gracieusement et décrivit au philosophe toutes les images d'une beauté enchanteresse qui se formaient à l'instant dans son esprit et les sentiments nobles et généreux qui renaissaient dans son cœur. Dans le nouveau monde où elle se voyait, et qu'elle nommait, le pays de l'Autre, elle n'occupait plus toute seule le devant de la scène. Elle prenait maintenant plaisir à applaudir à son tour au succès de ses nouveaux amis. Elle encourageait, guidait, aidait et consolait – comme elle-même l'avait été dans les moments de doute et d'angoisse.

Par ailleurs, dans cette mise en scène, elle rayonnait à nouveau, non plus de l'excitation débordante de la fillette qu'elle avait été, mais plutôt d'une joie douce et empreinte de sérénité, à l'image de la jeune personne épanouie qu'elle était devenue. Une fois encore, Kantique connaissait le choix de Maryse. Le lendemain la majestueuse montgolfière s'éleva de l'île du Glacier mais le vent ne soufflait pas en direction du continent. Il soufflait vers le pays de l'Autre, la voie de sa nouvelle aventure !

É p i l o g u e

Un soir de pleine lune, alors que le calme régnait sur le petit monde de l'île du Glacier, un curieux trio semblait faire la vigie au pied de la belle statue érigée par le géant Bourru, afin que personne n'oublie la perte du regretté LaForce. Celui-ci, on s'en souvient, avait connu une bien triste fin alors que l'île du Glacier sombrait dans l'angoisse, les préjugés et le désordre. Sa tragédie avait provoqué le départ de Silogue mais quel prix exorbitant avait été payé pour chasser la confusion semée sur son passage par l'infâme charlatan.

Le trio qui montait ainsi cette garde nocturne était formé de personnages que nous connaissons bien maintenant, maître Kantique et ses deux assistants : le réfléchi mouton Boris et la sympathique souris Nini.

« Notre travail ne semble jamais connaître de répit », dit alors Kantique à ses deux amis. « Un moment d'égarement, quelques illusions semées par un adroit manipulateur, un instant d'indécision et voilà le monde, si heureux la veille, qui bascule subitement dans le drame et le néant ! »

Lorsqu'ils conféraient ainsi en compagnie de Kantique au clair de lune, les animaux magiques se permettaient exceptionnellement de prendre la parole sans être sollicités. La souris Nini, assise sur la tête du mouton, crut bon d'intervenir pour empêcher son ami de devenir trop songeur.

« Nous savons maintenant que chacun trouve toujours en soi-même les réponses aux questions qu'il se pose. Après tout, nous n'avons jamais fait que souffler des mots qui ne demandaient qu'à se former tout seuls dans l'esprit de ceux et celles qui nous interrogeaient. Sinon, ils ne nous auraient jamais écoutés de toutes manières! Mais un petit surcroît d'intuition, de lucidité ou de simple bon sens est parfois tout ce qu'il faut pour qu'un rêve légitime devienne réalité. Quel plaisir alors que d'assister au spectacle d'une vocation qui s'épanouit! Malgré les amères déceptions que nous vivons parfois, je ne changerais pas ma condition de souris magique pour tous les trésors de l'univers!»

Cette réponse enthousiaste ramena Kantique vers des réflexions plus sereines.

«Je te l'accorde, ma chère Nini», enchaîna Kantique qui avait maintenant retrouvé son bel optimisme. «Ainsi, Maryse nous a pleinement démontré la valeur de l'imagination qu'il faut bien se garder d'étouffer surtout lorsqu'elle est au service d'une cause aussi noble que le désir d'être utile!»

«Il ne faudrait pas oublier notre brave explorateur Jacques, ainsi que Jeannot, le créatif inventeur», intervint alors Boris avec conviction. «Une brillante découverte ou une ingénieuse invention sont des actes du cœur autant que de la raison! Le désir de démontrer que l'on peut faire de grandes choses est presque toujours le reflet d'une belle personnalité. Il faut donc comprendre les véritables motifs de telles entreprises et faire l'effort d'aller au-delà des apparences. Le capitaine Martin l'avait bien compris lorsqu'il a invité Jacques à se joindre à son expédition de pêche!»

La gentille souris Nini eut cette fois-ci encore le mot de la fin.

«Mais pour que les plus généreuses intentions, les plus grandes idées, les plus astucieuses inventions voient la lumière du jour, on doit savoir prendre une décision et montrer du caractère quand c'est né-cessaire. Notre roi Gustave nous en a fait récemment une fort belle démonstration. Et je ne saurais passer sous silence l'heureuse évolution de ce bon Bourru qui a enfin compris qu'il ne sert à rien de blâmer les autres pour les fâcheuses conséquences de ses propres méprises!»

La discussion qui s'était animée subitement s'éteignit de la même manière. Chacun sentait qu'il n'y avait plus rien à ajouter. Pendant de longues minutes, nos trois amis contemplèrent la beauté de l'astre de la nuit, pacifique reine du ciel étoilé, plon-gés dans leurs réflexions silencieuses.

À propos de l'auteur

Après un bref passage en économique, Patrice Nadeau bifurque vers les sciences appliquées et décroche, finalement, un diplôme d'ingénieur en électricité de l'École Polytechnique de Montréal en 1988. Il pratique sa profession quelques années avant de retourner de nouveaux sur les bancs d'école qu'il admet trouver bien confortables. En 1994, il obtient une maîtrise en administration des affaires (M.B.A.) des H.E.C. de Montréal.

Depuis 1995, il partage son temps entre l'enseignement de l'informatique au niveau collégial et la formation pour cadres dans le secteur des institutions financières. La conjoncture économique est parfois ingrate mais il ne s'en plaint pas car l'instabilité de sa situation lui offre une opportunité inattendue : des temps libres pour écrire et pour penser ! Avec *Les Contes du cœur et de la raison*, Patrice Nadeau signe son premier ouvrage de fiction.